漫話國寶
01 中國國家博物館

杜瑩◎編著　　朝晝夕食◎繪

中華教育

中國國家
博物館

漫話國寶 01 中國國家博物館

杜瑩◎編著
朝畫夕食◎繪

責任編輯 吳黎純
裝幀設計 陳淑娟
排版 陳淑娟
印務 劉漢舉

出版 中華教育
香港北角英皇道四九九號北角工業大廈一樓B
電話：（852）2137 2338 傳真：（852）2713 8202
電子郵件：info@chunghwabook.com.hk
網址：http://www.chunghwabook.com.hk

發行 香港聯合書刊物流有限公司
香港新界荃灣德士古道220-248號
荃灣工業中心16樓
電話：（852）2150 2100 傳真：（852）2407 3062
電子郵件：info@suplogistics.com.hk

印刷 深圳市彩之欣印刷有限公司
深圳市福田區八卦二路526棟4層

版次 2021年3月第1版第1次印刷

規格 16開（170mm×240mm）
ISBN 978-988-8758-06-7

目錄

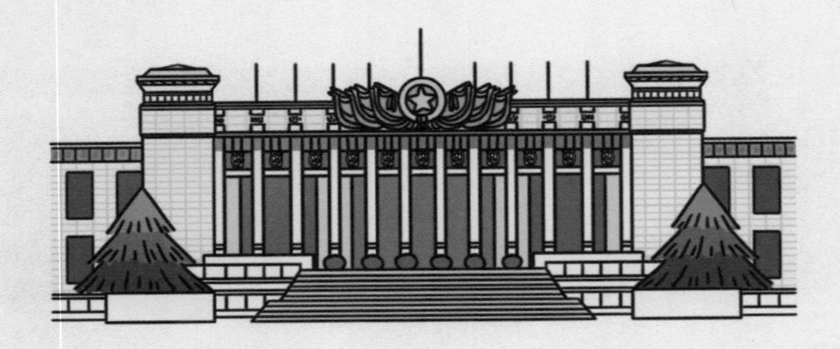

中國國家博物館位於我們國家的首都北京，已經有 100 多年的歷史了。這裏收藏了 140 萬餘件藏品，其中近 6000 件是國家一級文物，這些寶貝向我們展示了中華 5000 多年文明的血脈綿延與燦爛輝煌。中國國家博物館不但是世界上單體建築面積最大的博物館，還是中國文物收藏量最豐富的博物館之一。

第一站

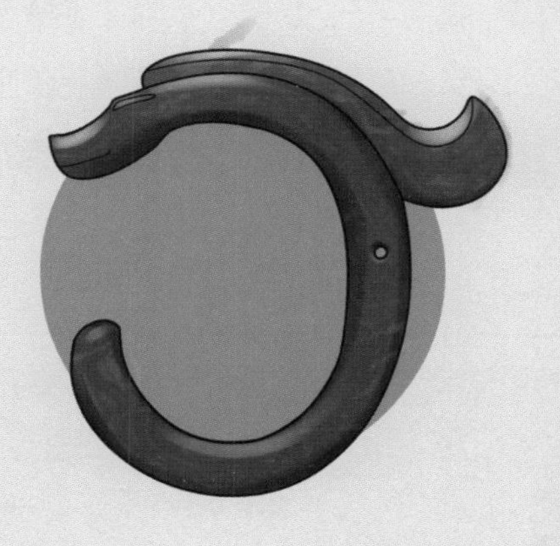

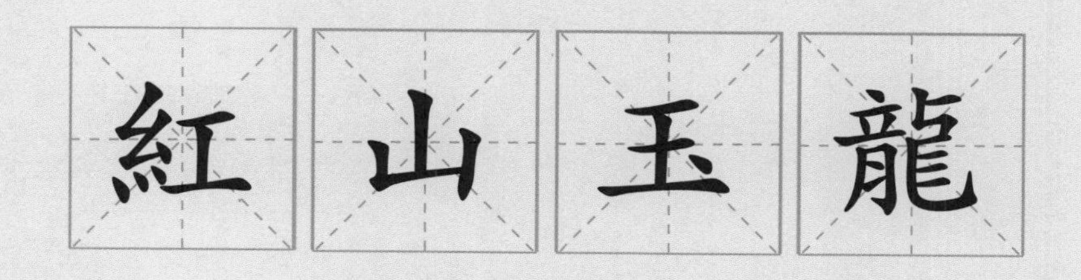
紅山玉龍

個人檔案

姓　　名：紅山玉龍

年　　齡：5000 多歲

血　　型：玉型

職　　業：掛件

出生日期：新石器時代

出 生 地：內蒙古赤峰市古翁牛特旗賽沁塔拉

現居住地：中國國家博物館

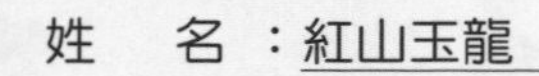

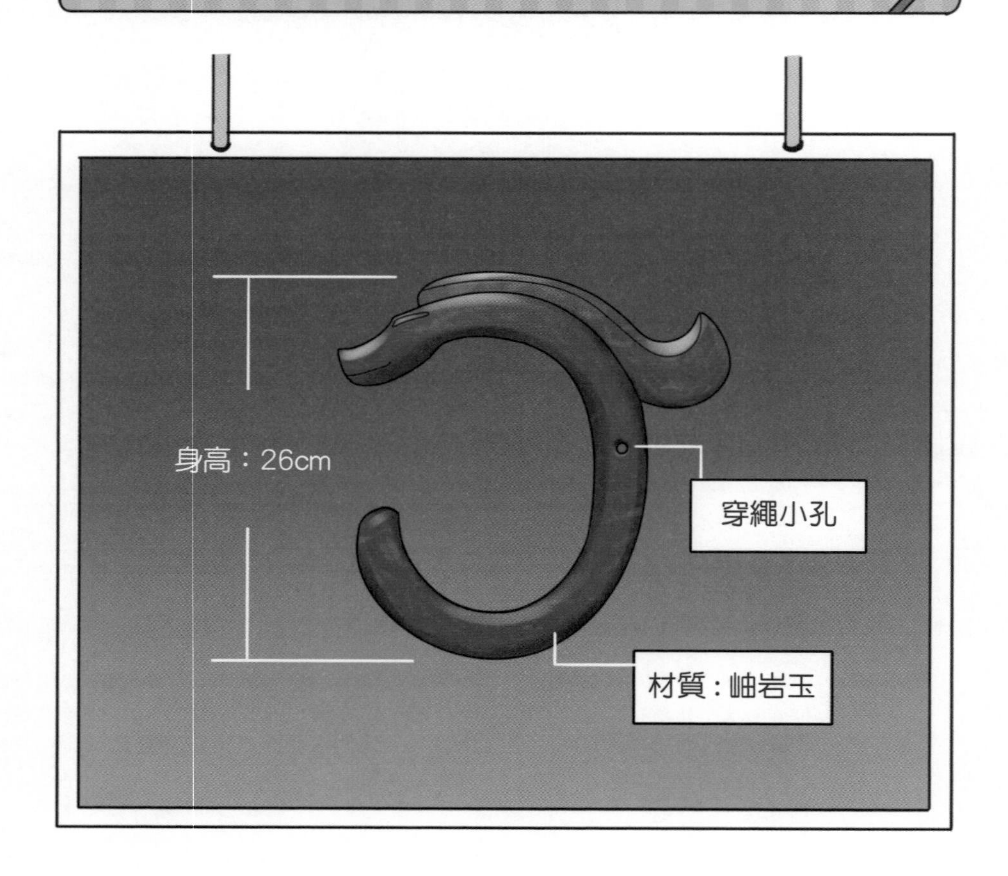
身高：26cm
穿繩小孔
材質：岫岩玉

11月4日　星期日　小雨

玉龍大哥有個響當當的名號——「中華第一龍」。爺爺說我們是龍的傳人，龍是我們的祖先嗎？我好想去見識見識呀！

哇，你就是傳說中的玉龍大哥！
髮型也太酷了吧！

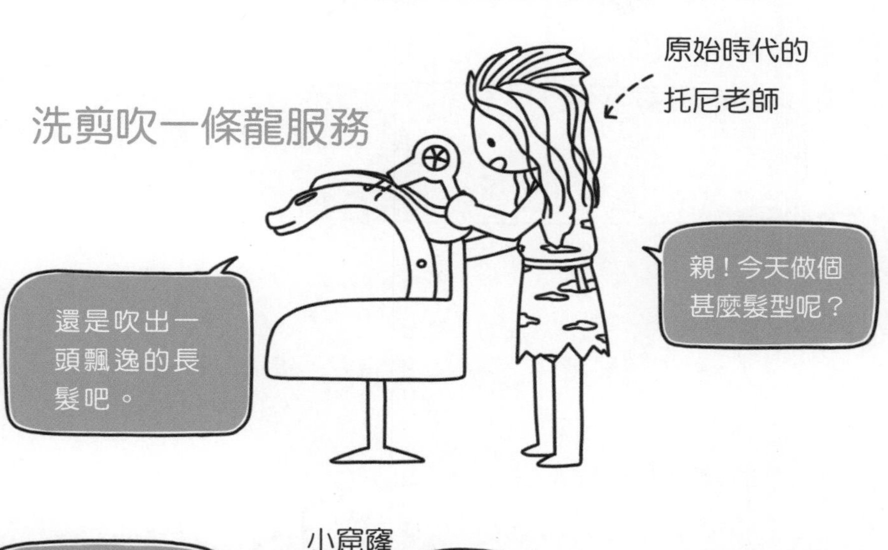
原始時代的托尼老師
洗剪吹一條龍服務
親！今天做個甚麼髮型呢？
還是吹出一頭飄逸的長髮吧。

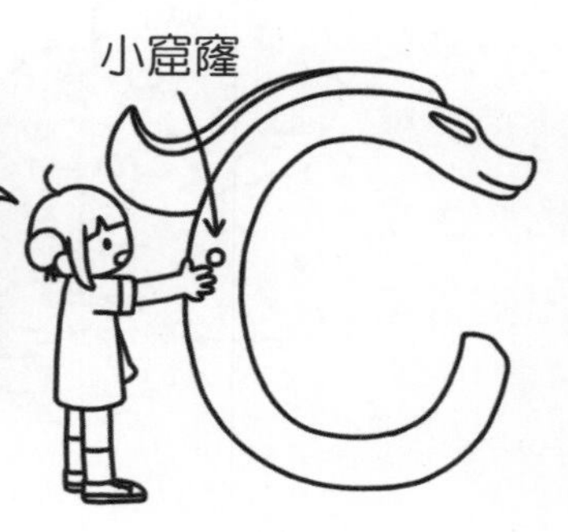
小窟窿
咦，玉龍大哥，你是受傷了嗎？怎麼背上還有個小窟窿呢？
沒呢，古人為了能把我掛起來，特地鑽了個小孔用來繫繩。

古人真有趣，

把玉龍做成了一個大大的「C」。

甲骨文裏面的「龍」字跟我的樣子很像呢！

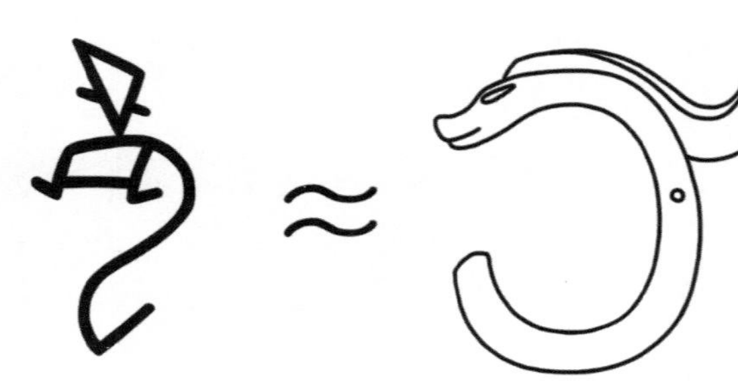

聽說你出生在新石器時代，離現在都好幾千年了，是誰發現了你啊？他可真厲害！

說起我被發現，這背後還有個長長的故事呢！

內蒙古自治區有個農民叫張鳳祥，有天他在果林裏歡快地幹着活，一不小心發現地裏有一個石洞。他好奇地伸手往石洞裏一掏，竟然掏出個沉甸甸的「大鈎子」來。

??
誰打擾我休息啊！

張鳳祥端詳了好一會兒，沒看出個所以然，也沒當一回事，以為是一塊普通廢鐵，就順手帶回了家。

玉龍廢鐵傻傻分不清楚！

哈！哈！哈！
我是小蝸牛，今天剛三個月大。
我叫小鴨鴨，今年一歲了！
我都五千多歲了還要和你們一起玩……

他有個頑皮的弟弟，看到哥哥帶回來一個「大鈎子」，就找了一根繩子把它綁緊，拖着「鐵鈎子」和小夥伴們在村子裏玩耍起來。

你猜出來了吧？

這「大鈎子」就是玉龍大哥，可憐他一把年紀被孩子滿地拖着跑了好幾天，差點被整出腦震盪來。不過歪打正着，他被拖在地上磨來磨去，竟然給磨出光澤來了，太陽再一曬，他的身體閃着耀眼的亮光。

這不，看出這是玉了，也算讓玉龍重見天日了。

好險！好險！

不過玉龍大哥，雖然你叫玉龍，可看起來跟我們現在的龍的造型還是有些不一樣的。你的鼻子……有點像豬 🐷。

是有那麼一點點。

玉龍有着「中華第一龍」的美譽，之後龍的形態可都是在牠的基礎上一步步**演化**過來的，

最終，龍成為我們中華民族的圖騰！

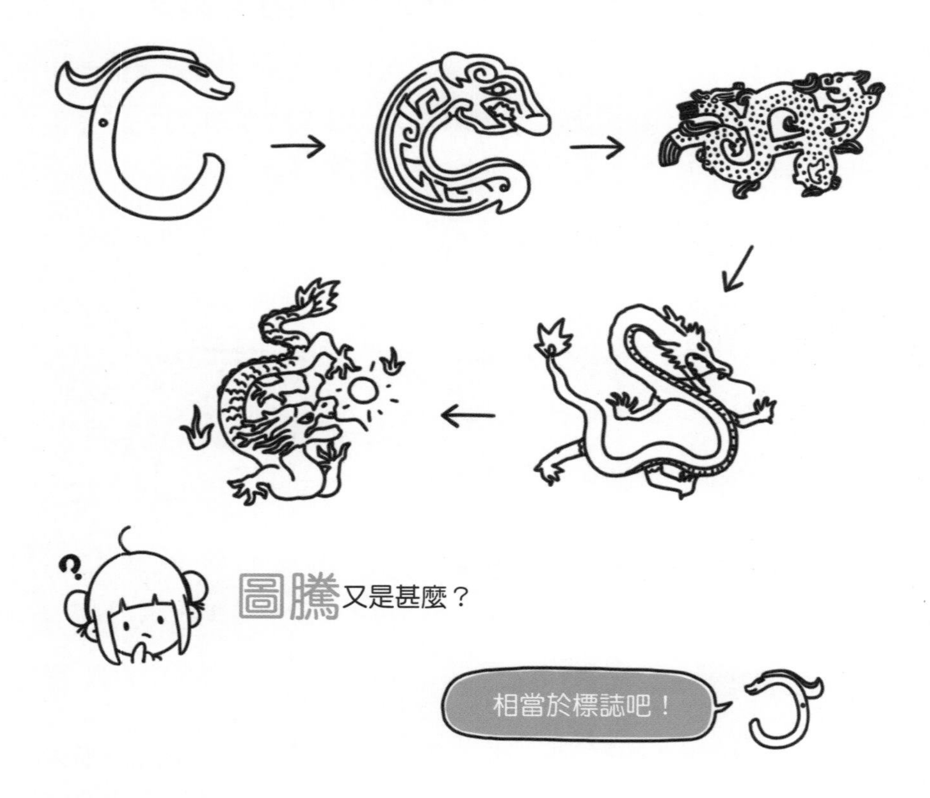
圖騰又是甚麼？
相當於標誌吧！

原始人認為自己是某些動物的後代，特別崇拜他們的祖先，覺得他們的祖先又能幹又聰明，真是超級無敵厲害！

我們的祖先可真厲害，真不愧為森林之王！
哈囉，聽說你們很崇拜我！
快跑啊！救命啊！
哈哈哈，你騙人！

人類怎麼可能認為自己是動物的後代呢？

人類可是世界上**最聰明最能幹**的物種！

警告
沒錯，你們人類是很厲害，但那是後來的事了。在原始時期，人類還很弱小，他們生活在危機四伏的大自然中，小命隨時會玩完。
該我上場了！
完了！我的血槽快空啦！
HP

所以他們特別羨慕動物！

比如鳥，一遇到危險就可以展翅高飛；

飛翔技能滿分

小鹿有着驚人的奔跑速度；

奔跑技能滿分

魚可以在水中自由自在地遨遊；

游泳技能滿分

毒蛇有着令人害怕的毒牙；

製毒技能滿分

大熊力量巨大；

力量技能滿分

老虎是森林之王；

王
王
綜合技能滿分

所以那段時間人類不想做人，他們更想做動物。

我根本不想做人！
綜合技能 30 分

你知道**商朝**嗎？

就是那個造了很多青銅器，還有很多甲骨文留下來的朝代。

商

《詩經》裏面有一句話：

「天命玄鳥，降而生商」。

喂，我點的是茶葉蛋，不是白煮蛋！
您點的外賣到了。
簡狄

傳說有個叫簡狄的女子在河裏洗澡，看到有鳥飛過來並生下一個蛋。簡狄十分好奇，就把蛋拿起來吃掉了，然後就生下了商人的祖先契。因此，鳥就成為商人的圖騰，商人認為自己是鳥的後代。

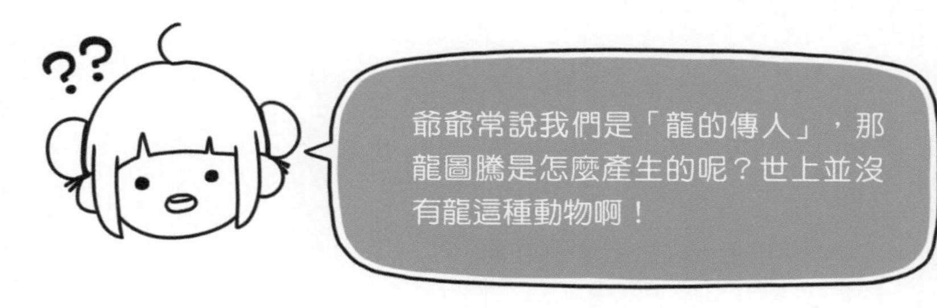
??
爺爺常說我們是「龍的傳人」，那龍圖騰是怎麼產生的呢？世上並沒有龍這種動物啊！

大家猜測可能是一支以蛇作為圖騰的部落，

一路開掛打怪升級，

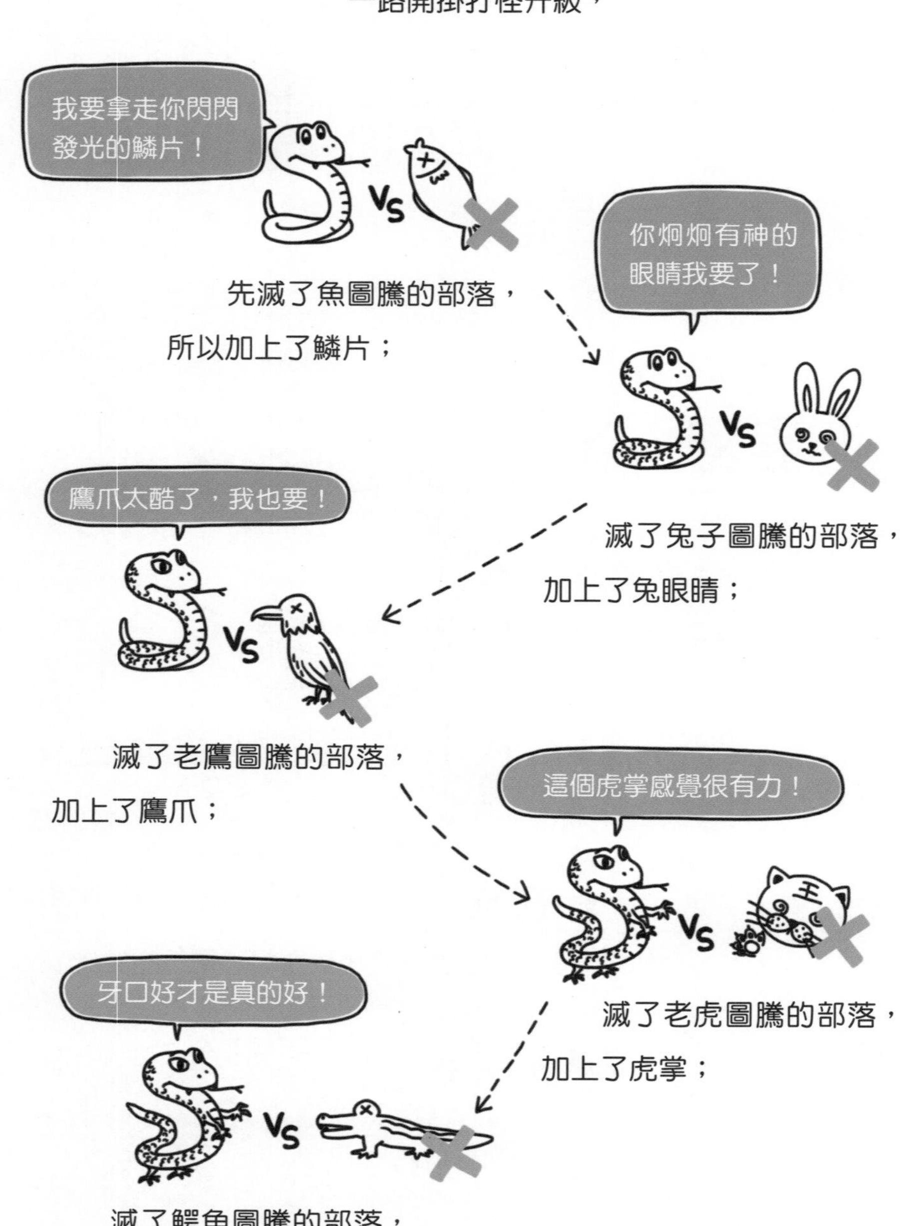
我要拿走你閃閃發光的鱗片！
你炯炯有神的眼睛我要了！
鷹爪太酷了，我也要！
這個虎掌感覺很有力！
牙口好才是真的好！

先滅了魚圖騰的部落，

所以加上了鱗片；

滅了兔子圖騰的部落，

加上了兔眼睛；

滅了老鷹圖騰的部落，

加上了鷹爪；

滅了老虎圖騰的部落，

加上了虎掌；

滅了鱷魚圖騰的部落，

加上了鱷魚的嘴巴；

這對角可真好看呀！
VS

好像還缺一對威風凜凜的長鬚！

滅了雄鹿圖騰的部落，

加上了鹿角；

加了長鬚……

哈哈哈哈，我一定是
全世界最酷的龍！

最後形成了今天人們所熟知的龍的樣子，

龍也成了中華民族的圖騰。

中國國家
博物館

小小博士

有一種鳥，受到很多民族的青睞，尤其是草原遊牧民族，紛紛把牠視為本民族的圖騰和保護神。牠是天空中體形最大的鳥，有着極強的飛翔能力，能在空中長時間盤旋。牠的動作迅猛，擅長從高空俯衝捕食，具有強大的衝擊力。聰明的你一定猜出來了，牠就是鷹！

從古埃及法老時代起，鷹就被作為王室的守護神，鷹頭人身的形象在埃及能經常見到。受埃及文明的影響，兩河流域的許多民族也將鷹視為王室的象徵。而那些以放牧、狩獵為生的遊牧民族，比如中國北方、南西伯利亞、蒙古、哈薩克乃至黑海沿岸的許多歐亞草原民族，他們看到搏擊長空的雄鷹，無不被這種無與倫比的飛行力量深深吸引，崇拜起這個接近蒼穹、靠近太陽的霸主。

古埃及神話中法老的守護神▶
——荷魯斯

哈哈劇場

之

「風一般的男子」

呵，風雨交加，像我這樣風一般的男子就該出去走走。
唔……我真是太瀟灑了！
就讓我接受這暴風雨的洗禮吧！
雨停了……
我果然是「瘋」一般的男子……

文物日誌

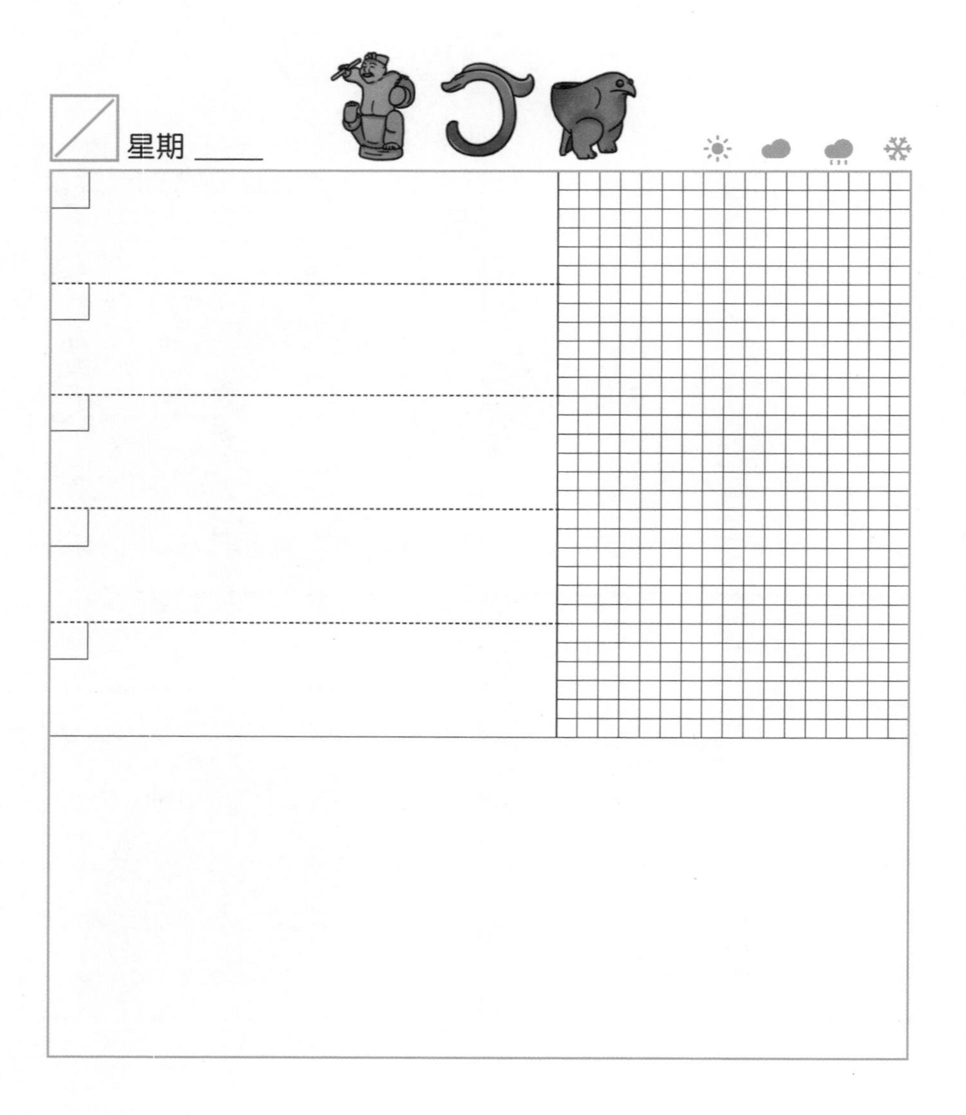
星期

第二站

彈琵琶陶俑

中國國家
博物館

個人檔案

姓　　名：彈琵琶陶俑

年　　齡：1400 多歲

血　　型：陶型

職　　業：擺件

出生日期：北齊

出 生 地：山西省壽陽縣

現居住地：中國國家博物館

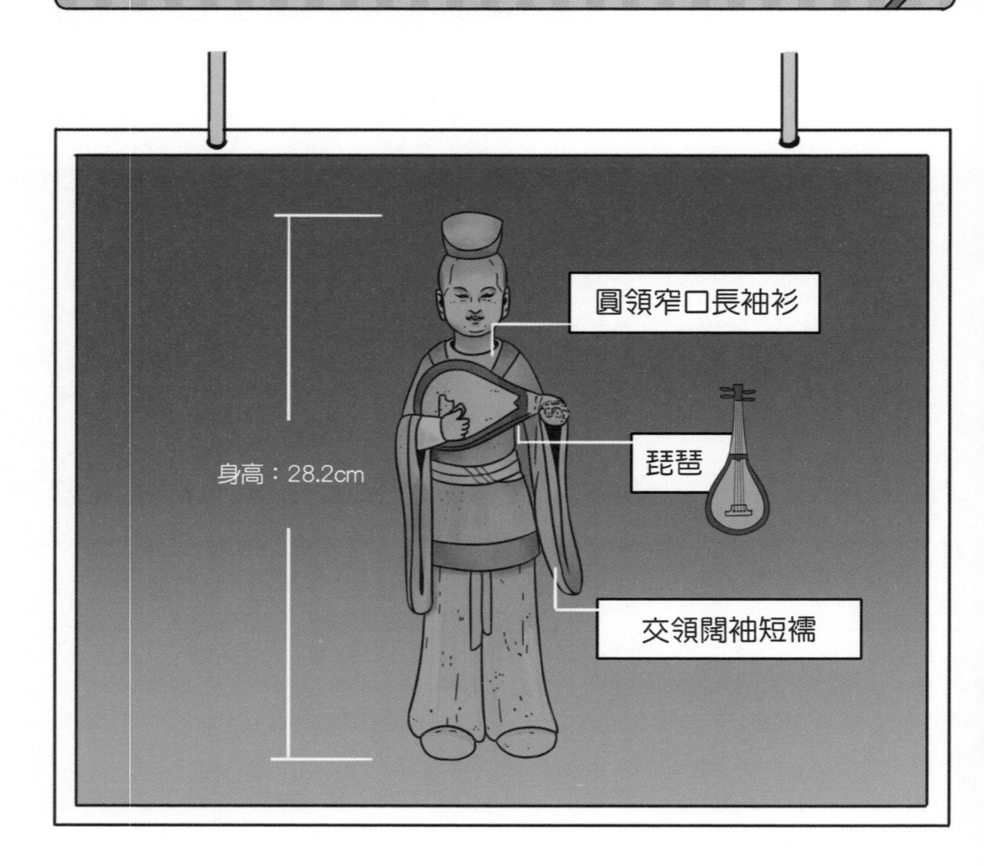
圓領窄口長袖衫
琵琶
身高：28.2cm
交領闊袖短襦

11月4日　星期日　　　　　　　　　　　　　小雨

　　爺爺給我講過敦煌壁畫裏面有飛天仙女，她們會反彈

琵琶　枇杷。但今天要見的這位先生，他卻是橫着彈枇杷的。好奇怪，橫着彈，不變吉他了嗎？而且據說他不是用手指直接彈，還有個祕蜜武器呢！

宓

先生好！

小朋友好！

樂師先生，我來的路上一直在想，您為甚麼是橫着彈琵琶的呢？我見過學校的民族樂團演奏，他們懷裏抱着的琵琶都是豎着的。

我抱着的這個東西跟你們的現代琵琶可不一樣。這個是從西域傳過來的，是一種在馬上彈奏的樂器。北朝的有錢人特別喜歡它，比如我的主人——庫狄迴洛，他是位愛好音樂的鮮卑貴族。

庫狄迴洛

仙
貝
鮮卑？！仙貝？！

是鮮卑！

鮮卑（粵 先背 普 xiān bēi）是秦漢時期繼匈奴之後崛起於中國北方的古代遊牧民族。到了南北朝時期，局勢亂糟糟的，中國也分成了兩部分，南方是東晉，之後又有漢人先後建立的宋齊梁陳，北方則是少數民族相繼建立起的一些王朝。

小宏，接下來看你的了！
拓跋部

而鮮卑的拓跋（粵 托弼 普 tuò bá）部建立了**北魏帝國**。

但是鮮卑沒有自己的文字，比較野蠻落後，被他們統治的老百姓苦不堪言。直到北魏出了位皇帝，叫作拓跋宏，

沒問題！
拓跋宏

也就是歷史上非常著名的**孝文帝**。

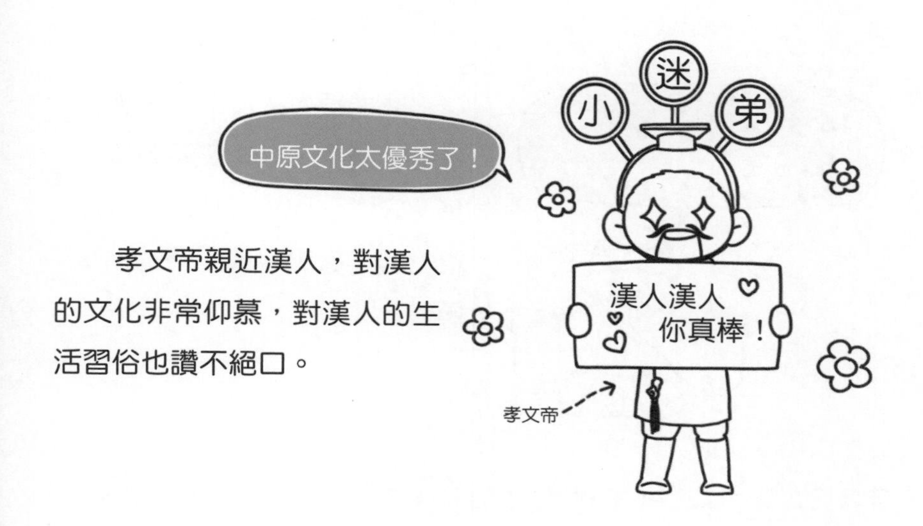
中原文化太優秀了！
小
迷
弟
漢人漢人
你真棒！
孝文帝

孝文帝親近漢人，對漢人的文化非常仰慕，對漢人的生活習俗也讚不絕口。

為了方便向漢人學習，他下決心把都城搬到了洛陽。接着，他又下了一道命令：所有鮮卑人都必須模仿漢人的生活方式。

我要搬家！
老大，您是在開玩笑吧！

中國國家
博物館

漢人也太浪費了，這兩個袖子都能做套衣服了！

雖然很多人不願意，但是皇帝的命令大家又不敢違抗，只能別別扭扭地脫下傳統的鮮卑衣服，換上寬袖的漢人衣服。

而且皇帝規定大家都不能說**鮮卑語**✕，要講**漢語**✓。

全部給我做完！
嗚嗚嗚，太難了！
漢語天天練
陽光漢語
重點名校
漢語精選
漢語一本通

為了讓鮮卑人和漢人能更好地相互交流，溝通有無，拓跋宏還鼓勵鮮卑人和漢人**結婚**。

胡漢婚姻介紹所

他還把鮮卑人的姓氏改成了漢人的姓氏，

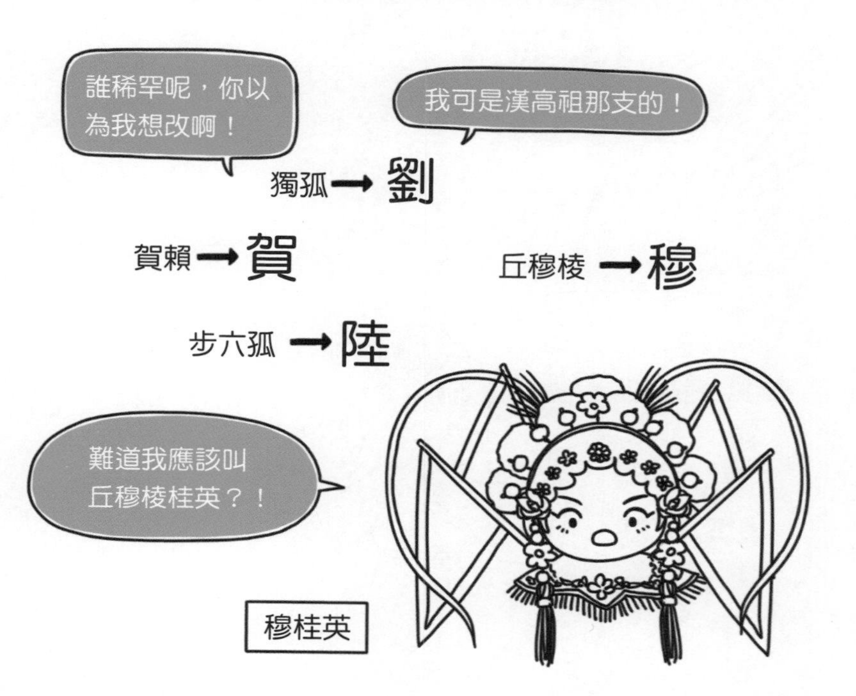
誰稀罕呢，你以為我想改啊！
我可是漢高祖那支的！
獨孤→劉
賀賴→賀
丘穆棱→穆
步六孤→陸
難道我應該叫丘穆棱桂英？！
穆桂英

甚至連自己這個「拓跋」姓也改成了「元」姓。

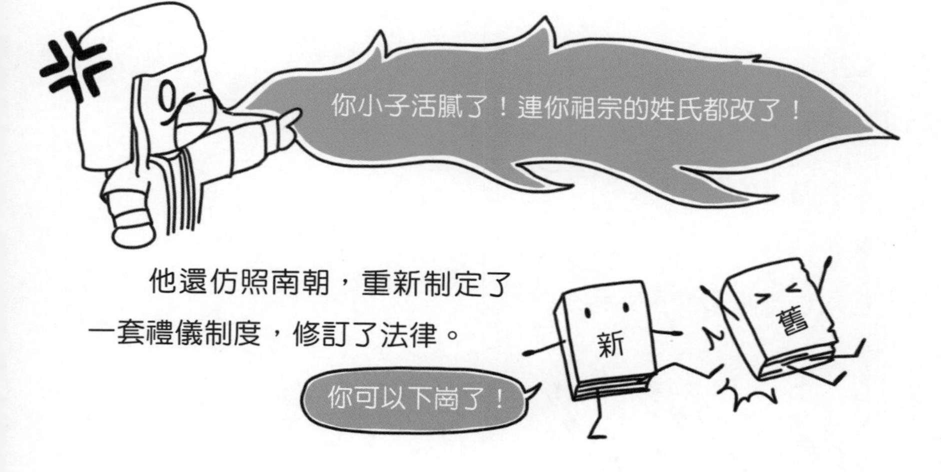
你小子活膩了！連你祖宗的姓氏都改了！
你可以下崗了！
新
舊

他還仿照南朝，重新制定了一套禮儀制度，修訂了法律。

風吹草低見荒地

由於北方常年戰亂，人們被迫離開家園四處流浪。田地長滿雜草，荒廢在那裏。沒有人種地，就沒法上交糧食給國家，國家的收入也受到了嚴重的影響。

不管露田、桑田，能
種出作物的就是好田。
露田
桑田

孝文帝想了個辦法，他將國家的田地重新進行了**劃分**，分成露田和桑田。露田用來種植各種穀物，桑田用來種植桑樹、榆樹、棗樹等。

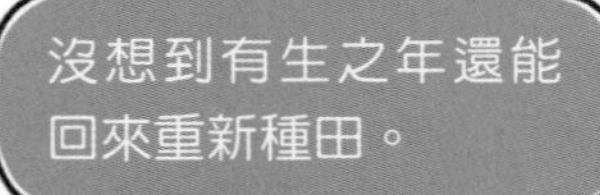
沒想到有生之年還能
回來重新種田。

同時按人口多少將土地分配給老百姓耕種，這對恢復和發展國家的**農業生產**起到了積極的作用，國家的財政收入也開始慢慢積累起來。

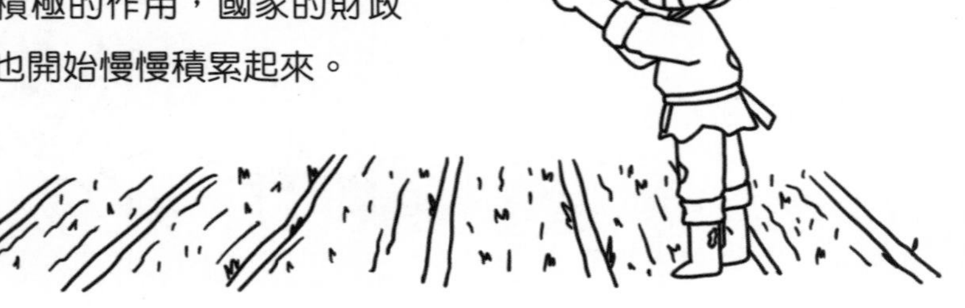

在孝文帝的改革推動下，漢人和鮮卑人互相模仿學習，文化融合，漸漸分不出彼此，當然國家的實力也迅速增長。

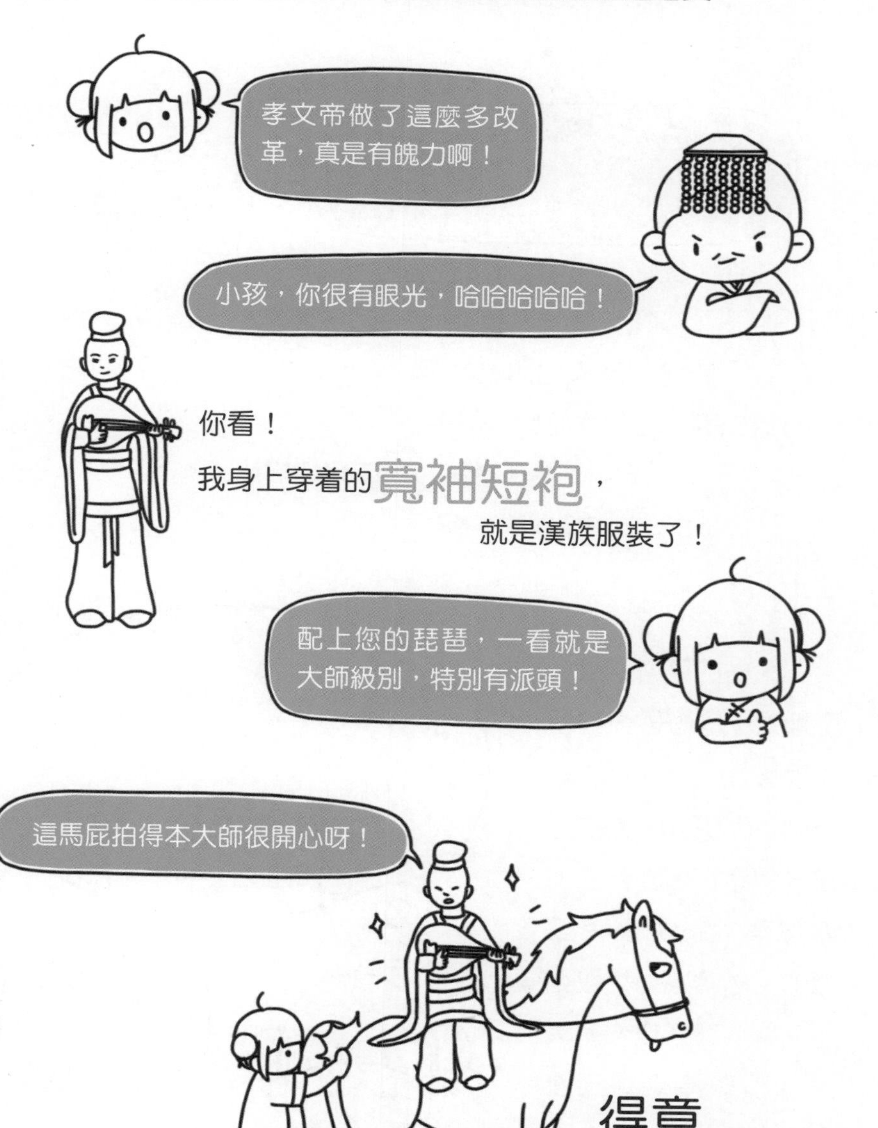
孝文帝做了這麼多改革，真是有魄力啊！
小孩，你很有眼光，哈哈哈哈哈！
你看！
我身上穿着的寬袖短袍，
就是漢族服裝了！
配上您的琵琶，一看就是大師級別，特別有派頭！
這馬屁拍得本大師很開心呀！
得意洋洋

先生手上拿着的這個**祕密武器**是甚麼呢？

撥子

這叫撥子，彈奏的時候用撥子撥動琴弦，聲音格外清澈響亮。

唐代大詩人白居易寫過《琵琶行》，裏面就有對琵琶演奏時聲音的描述：

大弦嘈嘈如急雨，小弦切切如私語。
嘈嘈切切錯雜彈，大珠小珠落玉盤。

大概的意思就是：彈撥大弦的時候，聲音渾厚悠長，像暴風驟雨一樣；彈撥小弦的時候，聲音細細輕輕的，好像有人在說悄悄話似的。嘈嘈聲切切聲互相交錯，就好似一串串大珠小珠掉落到玉盤上發出的聲音。

珠子掉下來會不會很難撿啊！
只是打個比方而已嘛！

小小博士

孝文帝想遷都洛陽，又怕遭到大臣們的反對，他就想了個對策，在朝堂上對大臣們說：「我要南下攻打南齊。」公元 493 年，孝文帝親自率領大軍南下，從平城出發，到了洛陽。正好碰上秋雨連綿，道路泥濘，大軍沒辦法前行。但是拓跋宏下令繼續進軍，大臣們都跪下來阻攔。拓跋宏就借機說：「如果不能南進，就把國都遷到這裏。」大家聽了，面面相覷，沒有說話。拓跋宏又說：「同意遷都的站右邊，不同意的站左邊。」為了停止南征，大家都站到了右邊。

就這樣，北魏的都城從平城遷到了洛陽。

前方路況複雜，不能繼續前進了啊！
那就把國都遷到這裏吧。
洛陽
朕可真是個小機靈鬼。

哈哈劇場

之

「調皮的袖子」

鮮卑琵琶演奏
好好聽！
真是太棒了！
對不起對不起，這衣服我還沒穿習慣。
老兄，管管你的袖子好嗎！

文物日誌

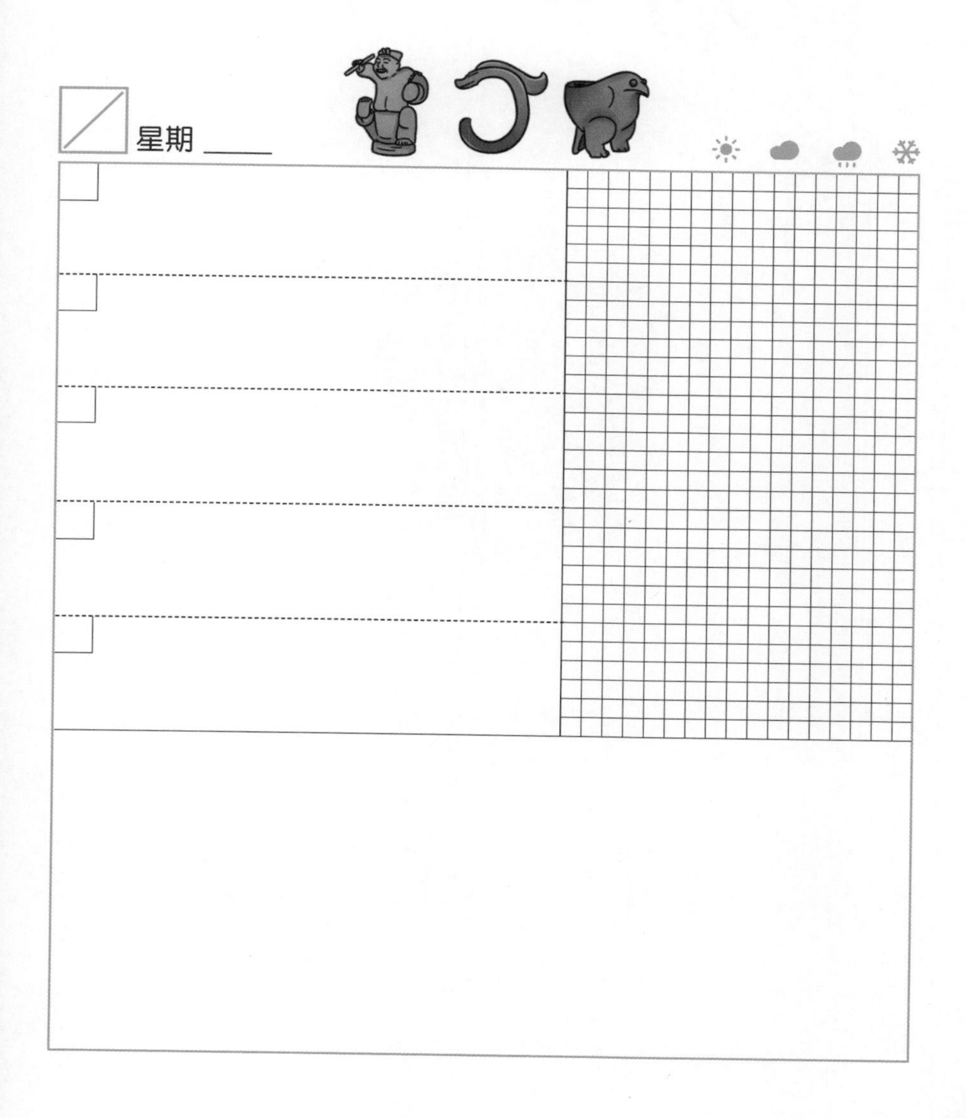
星期

第三站

鷹形陶鼎

個人檔案

姓　名：鷹形陶鼎
年　齡：5000 多歲
血　型：陶型
職　業：炊具
出生日期：新石器時代後期
出 生 地：陝西省華縣太平莊
現居住地：中國國家博物館

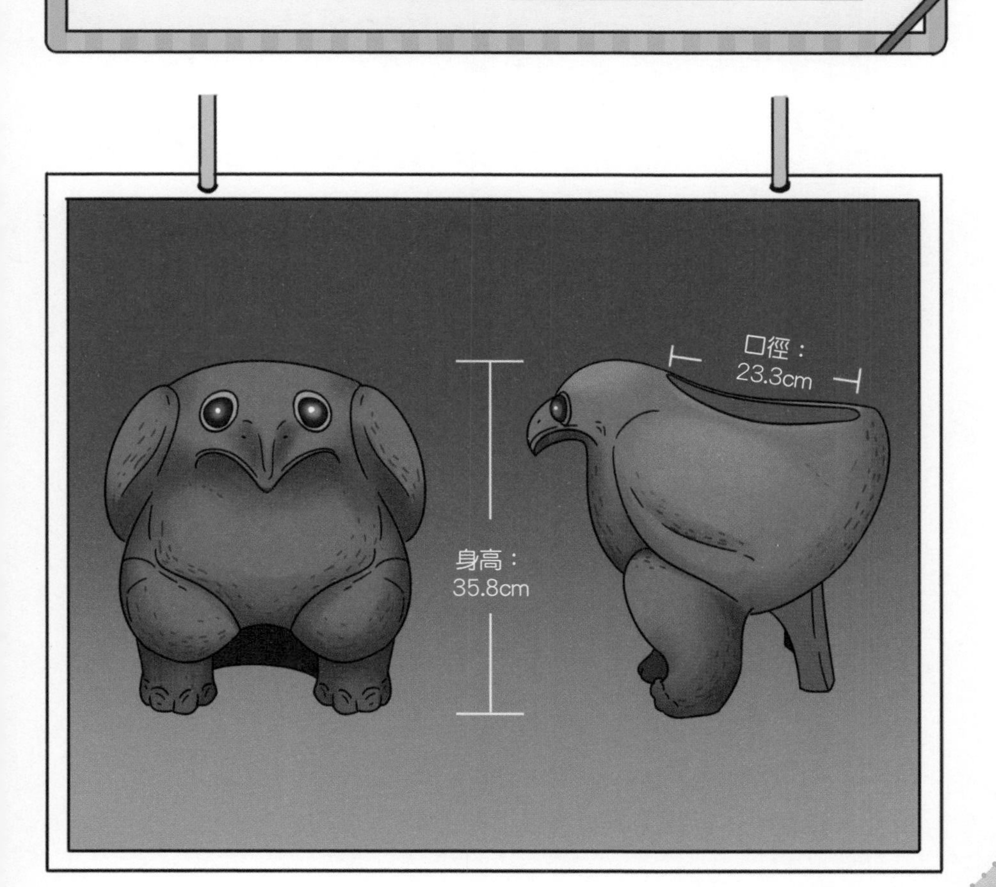

口徑：
23.3cm
身高：
35.8cm

中國國家
博物館

11月16日 星期五 多雲

鷹形陶鼎大爺挺了個大大的肚子，圓圓的腦袋，圓圓的身體，像隻圓滾滾的小鳥，跟兇爸爸的老鷹一點都沾不上邊，算是我見過的最可愛的鷹了。

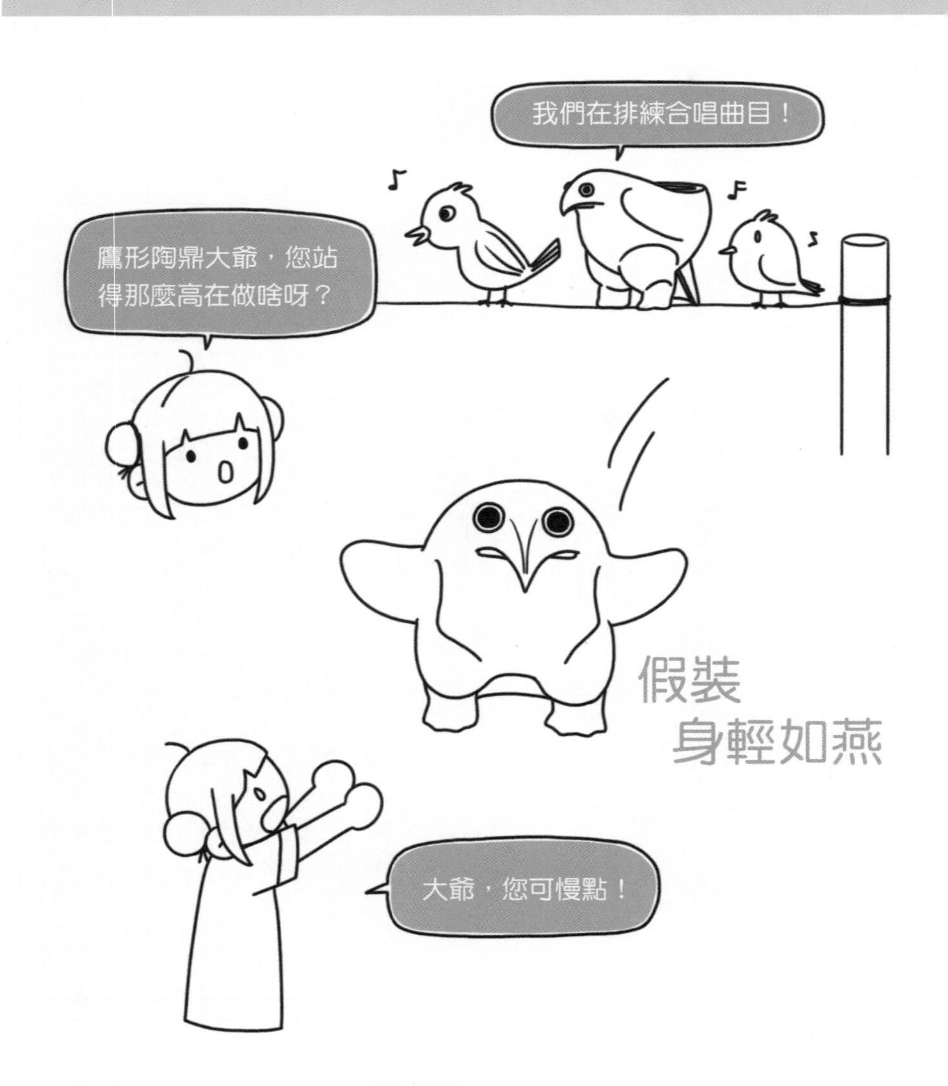
鷹形陶鼎大爺，您站得那麼高在做啥呀？
我們在排練合唱曲目！
假裝
身輕如燕
大爺，您可慢點！

鷹形陶鼎大爺的肚子那麼大，是用來做甚麼的呢？

食神爭霸賽
你看我的大名——鷹形陶鼎。鼎就是鍋，煮飯燉肉燒水都是我的拿手絕活。

哈！哈！哈！

哈哈，可您跟我看到過的其他鼎不一樣，哪有這麼可愛的鼎嘛，而且還圓滾滾的。

我就吃可愛多長大的不可以嗎？
你一個現代人連卡通版本都不會欣賞，哼！
可愛有錯嗎？
可愛犯規嗎？
氣呼呼

你可別小看我啊，我可是仰韶文化時期珍貴的陶塑藝術品！

嘖嘖嘖，造型的確很生動，雙腳加上尾巴剛好構成鼎的三個足，是實用性和藝術性的完美結合！
文物專家上線

現代人到底是有文化！
哇，對我的造型瞭如指掌嘛！
哎喲，不錯哦，算你見過世面！
早點誇人不就好了！
樂呵呵

鷹形陶鼎的主人不會是個小孩吧？

我的主人可不是小屁孩，她可是當時氏族部落裏的領導者，有很高的地位，大家很聽她的話，她也很受大家的尊敬……
一波回憶殺
正朝這裏趕來！

可那些人高馬大的男人也會聽她的話嗎？

男人該不該聽女人的話，這真是一個哲學的千古難題！

必須啊！

當時是母系氏族社會嘛，

最高首領就是女性！

甚麼是母系氏族社會呢？

在那個時代，食物可是生存下來的關鍵要素，男人基本都去打獵捕魚，女人則去採摘野果挖掘野菜。打獵捕魚不一定每天都能有收穫，所以男人常常會空手而歸，反倒是女人，總能有相對穩定的收穫。

怎麼這麼沒用？！
今天甚麼都沒有獵到。

而且女人通過採摘野果、野菜，帶領族人步入了原始農業階段，開始人工培育農作物，還嘗試馴化野雞、野狗、野豬等動物，這些漸漸成為人類主要的食物來源。女人在部落裏愈來愈受到尊敬，也就順理成章地成為氏族部落的首領。

部落首領

大家以母親的血緣關係結成氏族部落，生活在一起，共同勞動，共同消費，沒有貴賤貧富的差別，過着平等的生活。

因為我們是一家人，相親相愛的一家人！

但是到了母系氏族社會的後期，

已經開始有了**貧富**的分化。

比方說我的主人，她的地位比較高，擁有的財富就多一些，比如宇宙無敵超級可愛的我，就是她非常珍愛的物件，其他人只能看看，飽飽眼福了。
吹，你就使勁吹！

隨着生產力的進步，

母系氏族社會慢慢發展到了父系氏族社會。

???
父系氏族社會又是甚麼樣的呢？

隨着農業的發展，大家慢慢在一處定居。無論是製陶這類的手工業，還是開墾種植這類的農業，或者養殖這類的畜牧業都愈來愈成規模。

男人的主要精力也轉移到農活上來，身體的優勢就漸漸顯現出來了。他們個子高、力氣大，在耕地種田上很快就把女性比了下去。他們收穫了更多的糧食，擁有了更多的財富，也養活了更多的人。

好累呀！
我來！
我來！
抓不住啦！

甲骨文裏的「男」是這樣寫的：

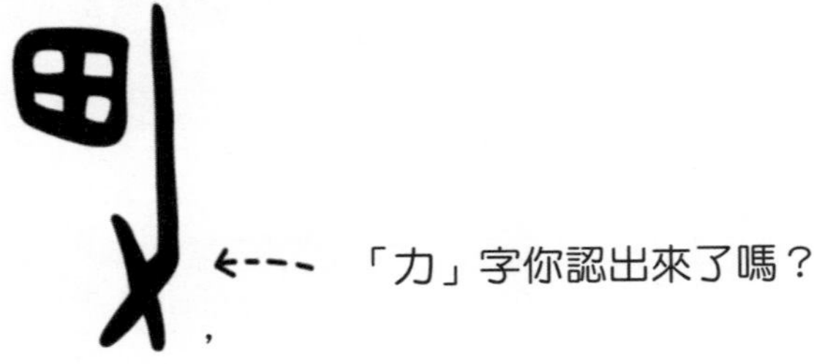
「力」字你認出來了嗎？

知道現代漢語中的「男」字為甚麼這麼寫了吧。

在田裏幹活，還真是要力氣大。
點頭

而且當氏族部落之間發生矛盾，要靠武力解決的時候，男性顯然比女性更擅長打架。隨着男性貢獻逐漸變大，他們在氏族中愈來愈受到大家的尊重，地位也一天比一天高了。

我靠的是拳頭！

漸漸地，男性就代替女性成了一家之主，而最勇敢、最有智慧、最強壯的那個男子就成了一個氏族部落的首領，大家就以父親的血緣關係結成大家族。

在母系氏族的時候是女子「娶」男子回家，孩子跟着媽媽姓，跟着媽媽生活；

而到了父系氏族社會是男子「娶」女子回家，孩子跟着爸爸姓，跟着爸爸生活。

就這樣，女性的地位愈來愈低，發展到後來就是一個男子可以娶很多老婆，而女子要服侍男子、聽命於男子。

我愛新社會，婦女能頂半邊天！

小小博士

你知道這件珍貴的鷹形陶鼎是怎麼被發現的嗎？

有個叫殷思義的農民在村東犁地，突然猛地一震，犁鏵好像在土裏撞上了甚麼硬東西。他以為是土裏的大石塊，準備清理掉繼續乾活，誰知挖開一看，竟然是一件鳥一樣形狀的陶器。殷思義看着蠻有趣，隨手把它帶回了家，正好家裏的小雞缺個吃飯的盆，就丟在雞窩裏當了雞食盆。於是，這件後來聞名於世的鷹形陶鼎就這樣跟小雞在一起混了好幾年。

後來，考古隊來附近進行發掘工作，殷思義就主動向來村裏調查宣傳的考古隊員講起自己曾挖出一件陶器，並將鷹形陶鼎送交給考古隊，這才使這件珍貴文物為世人所知。

唉，我都五千多歲了，還得陪你們這些小崽子玩……
??

哈哈劇場

之

「一起唱歌」

哇，他們看起來好像很開心的樣子！
我也要和你們一起唱歌！
彈！
……

文物日誌

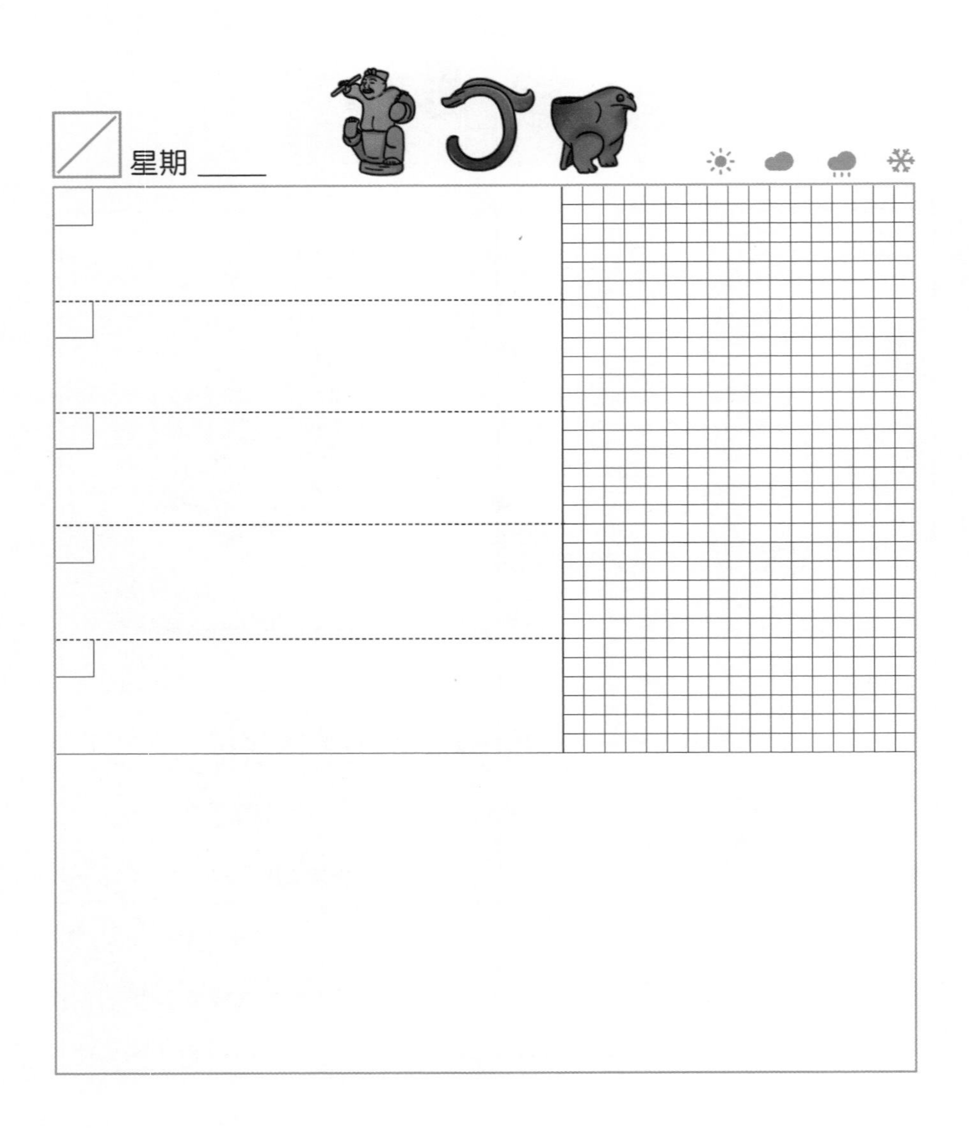
星期

第四站

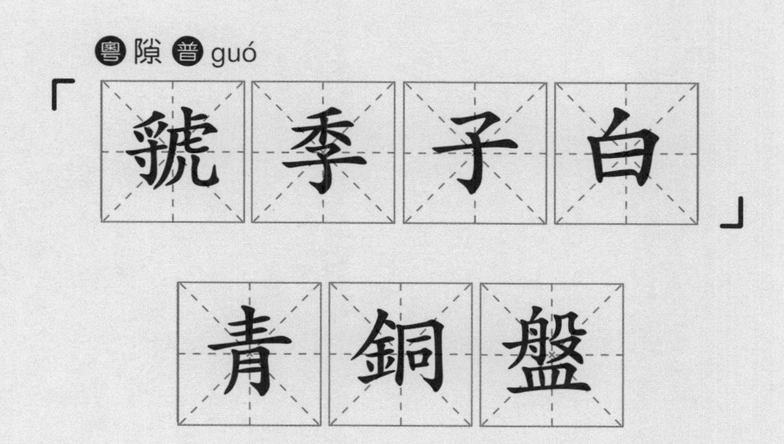

粵 隙 普 guó

「虢季子白」青銅盤

中國國家
博物館

個人檔案

姓　名：「虢季子白」青銅盤

年　齡：2000 多歲

血　型：青銅型

職　業：盛水器

出生日期：西周

出 生 地：陝西省寶雞市陳倉區

現居住地：中國國家博物館

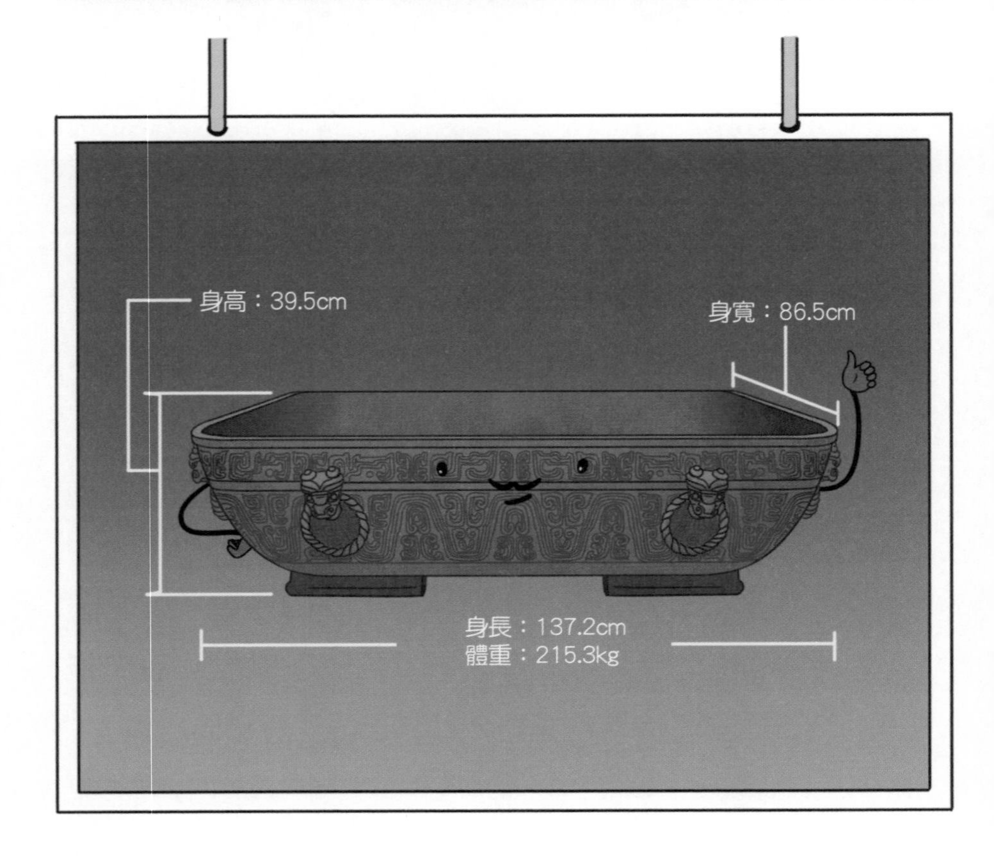
身高：39.5cm
身寬：86.5cm
身長：137.2cm
體重：215.3kg

11月18日　星期日　　晴 

今天我們要去見個古代的大浴缸。哈哈，你沒看錯，因為這位先生的塊頭實在太大了，簡直跟我們現在用的浴缸一毛（模）一樣。

哇，浴缸先生，您不會真的是用來洗澡的吧？

你這小孩怎麼說話的，我是盛水器！

原來是大水缸啊，那您的肚子裏怎麼寫了那麼多字呢？

嘿嘿，別小瞧這些字，這可是最體現我身價的地方了！

上面寫了啥呢？

一個字都**不認識**！

上面一共有 8 行，共計 111 個字。銘文不但文筆頂呱呱，而且字跡漂亮大氣，大家都說這是一篇鑄在青銅器上的詩呢。

滿分作文獎
書法優秀獎

文章是在誇讚我的主人虢季子白。周宣王派他率領軍隊跟北方的獫狁（粵 險允 普 xiǎn yǔn）打仗，虢季子白把敵人打得落花流水，不但殺死 500 名敵軍，還活捉了 50 名俘虜。

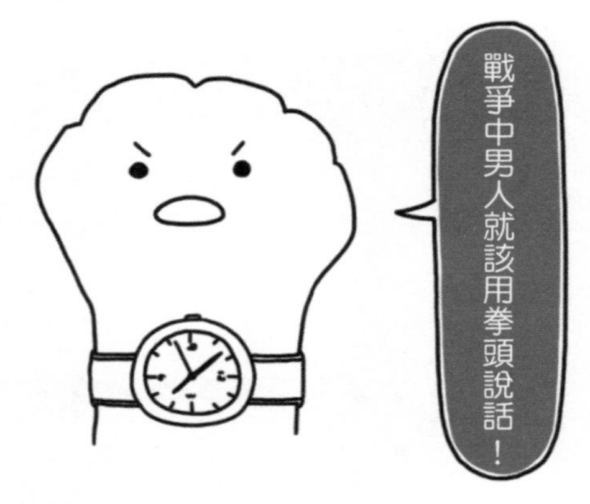
戰爭中男人就該用拳頭說話！

周宣王特別高興，誇他是國家的英雄，還舉辦了隆重的慶功宴。為了表彰虢季子白的功績，周宣王賞了他好多東西，比如配有四匹馬的戰車，朱紅色的弓箭，還有斧鉞。

我送了很多禮物給你！
大王，那有棒棒糖嗎？
周宣王
虢季子白

虢季子白為了紀念這件事情，專門請工匠做了青銅大盤子，並把這件事的整個經過記錄了下來。

真是土豪啊！整個這麼大的青銅盤來紀事。

親愛的，今天是我們的結婚紀念日，你看我把日子刻在了浴缸裏！
你真是夠了！

周宣王其實還算是個不錯的君主，可惜他爹不是個好東西，特別坑兒子。他爹就是周王朝的第十個君主——周厲王。

周厲王十分貪財，想盡辦法搜刮壓榨老百姓，最後逼得老百姓造反，還圍攻宮殿。

周宣王當時還是太子，他狼狽地逃到大臣召公虎的家裏躲了起來。老百姓追到召公虎家裏，逼他交出太子。召公虎為了保全太子，忍痛把自己的親生兒子交了出去，老百姓當然不知道其中原委，以為這就是太子，就把召公虎的兒子殺了。

兒啊，爹對不起你啊！
對不起有用的話還要警察幹甚麼！

不僅攤上個坑兒子的老爹，周宣王還生了一個超級坑爹的兒子，也就是歷史上臭名昭著的——**周幽王**。

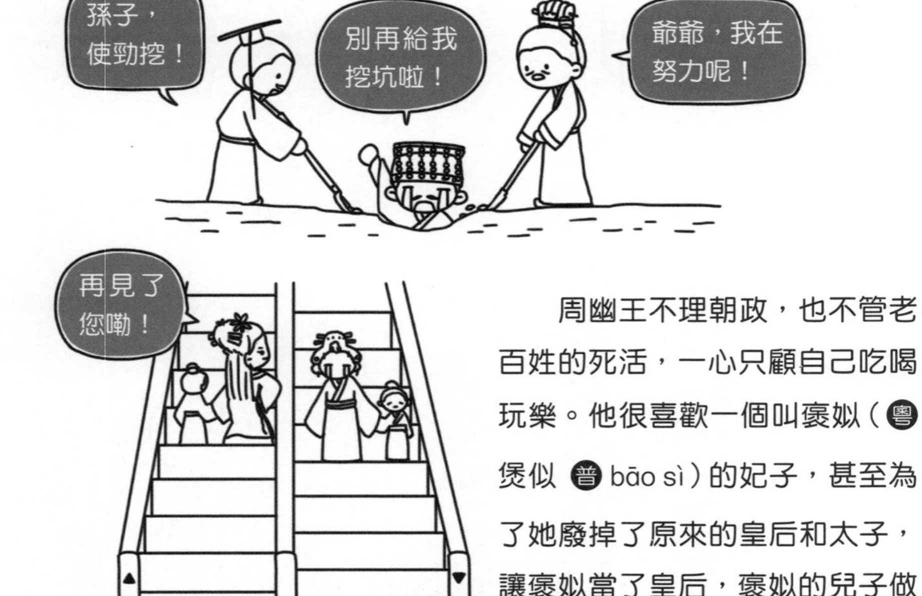
孫子，使勁挖！
別再給我挖坑啦！
爺爺，我在努力呢！
再見了您嘞！

周幽王不理朝政，也不管老百姓的死活，一心只顧自己吃喝玩樂。他很喜歡一個叫褒姒（粵 煲似 普 bāo sì）的妃子，甚至為了她廢掉了原來的皇后和太子，讓褒姒當了皇后，褒姒的兒子做了太子。

褒姒很漂亮，但卻是個不愛笑的冷美人，周幽王為了讓褒姒笑一下，竟然下令點燃烽火。

快給本王點上！
這火都敢玩！

古時候國家的邊防每隔一段距離都會建一座**烽火台**，遇到緊急情況時，士兵立刻在烽火台上點起烽火，看到煙火，下一個烽火台也馬上點火，這樣一座座傳遞下去，諸侯軍隊看到烽火就會率兵趕來救援。

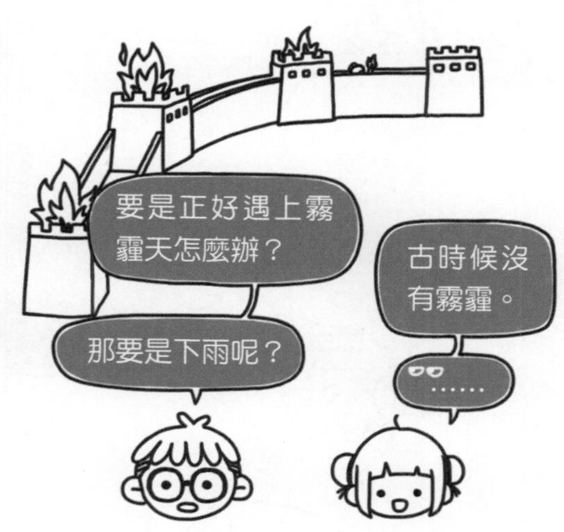
要是正好遇上霧霾天怎麼辦？
古時候沒有霧霾。
那要是下雨呢？
……

哈！哈！哈！哈！

可是當諸侯軍隊風塵僕僕地趕到，發現並沒有敵人，竟然只是個玩笑！褒姒看到諸侯大軍驚慌失措、被耍得團團轉的樣子，果然哈哈大笑起來。周幽王非常滿意，諸侯們自然氣憤不已。

等到真正的敵人入侵時，再也沒有人願意帶兵來救援了。

這就是歷史上著名的

「烽火戲諸侯」。

喂，敵人殺過來了，快派兵前來救援啊！
這貨又想耍我們！
您所撥打的電話暫時無人接聽，請稍後再撥！

唉，很想送給周幽王一本《狼來了》的故事書。

說謊精

說謊精

這麼大個傢伙，是誰最早發現的呢？

這麼重可怎麼搬得動喲！

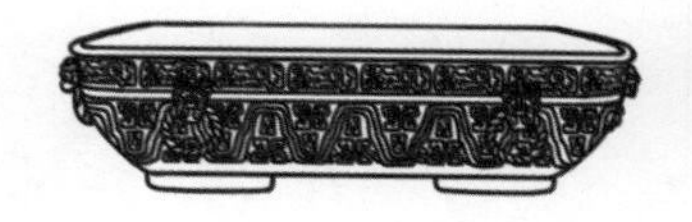
唉，說起來我也是怪可憐的。

「虢季子白」青銅盤在清朝道光年間已經重見天日了，可是被轉來轉去換了一圈主人，後來落到了一個叫劉銘傳的將領手上。

當時他帶兵鎮壓太平天國，暫住在一個王府內。半夜三更，他突然聽到格外動聽的金屬撞擊聲。劉銘傳很是好奇，舉着蠟燭四處尋找聲音的來源，最終發現是馬籠頭上的鐵環碰到馬槽所發出的聲響。

這是個啥呀？
??

劉銘傳是個有心人，他仔細查看了馬槽，發現這馬槽不是凡物。第二天早上，他就命人把馬槽刷洗乾淨。也算他識貨，一看清「廬山真面目」就知道這是**絕世寶物**。

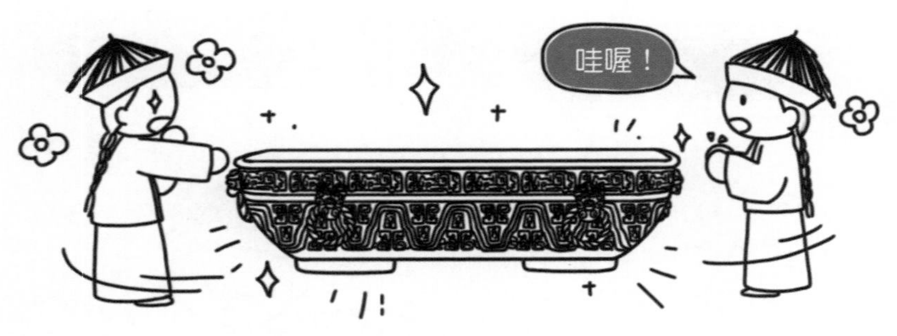
哇喔！

後來**戰亂**，劉銘傳的子孫又把「虢季子白」青銅盤埋於合肥老宅的地下。

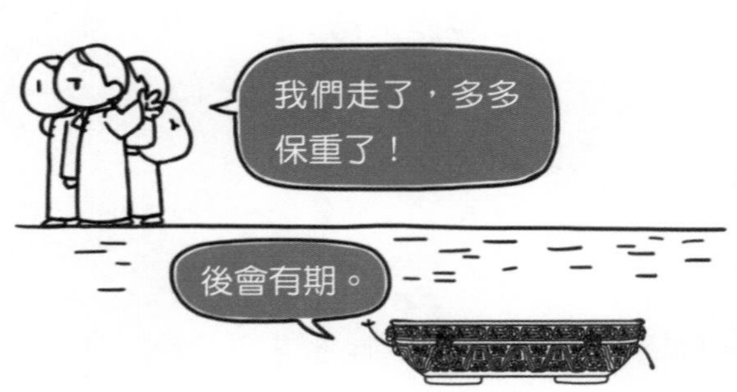
我們走了，多多保重了！
後會有期。

一直到 1949 年合肥解放後，劉銘傳的第四代孫劉肅曾才將「虢季子白」青銅盤挖出，獻給國家，所以你們今天才可以看到這麼帥氣無敵的它呀！

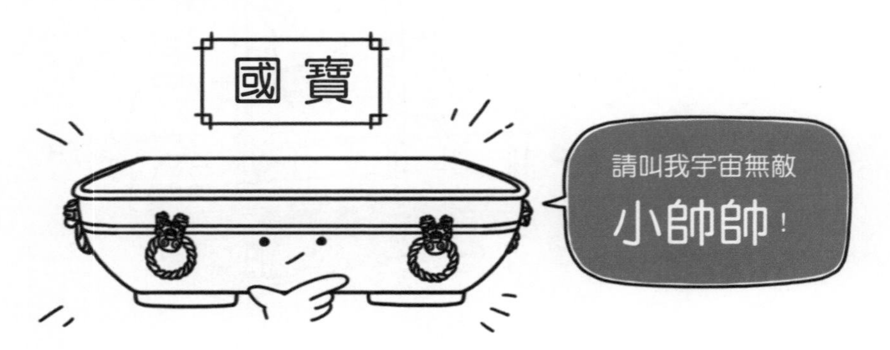
國寶
請叫我宇宙無敵
小帥帥！

小小博士

清代晚期，在有着「青銅器故鄉」之稱的陝西省寶雞市，出土了毛公鼎、大盂鼎、散氏盤、虢季子白盤四件青銅器，轟動一時，影響深遠。

這四件青銅器之所以揚名海內外，除了體積巨大、銘文書法藝術價值不可估量，最主要的原因還是青銅器上銘文的內容，我們從銘文中知道了很多西周的歷史，並且與史書上的記載互相印證，成為現今我們探究周朝政治、社會、經濟、生活的重要資料來源。

「虢季子白」青銅盤
大盂鼎
毛公鼎
散氏盤

中國國家
博物館

哈哈劇場之「浴缸」

我愛洗澡皮膚好好——
嗷嗷嗷嗷——
咦，澡堂甚麼時候多了個浴缸？
嘻嘻，可以享受一下嘍！
啊！
滾！

文物日誌

星期 ____

第五站

擊鼓說唱陶俑

個人檔案

姓　　名：擊鼓說唱陶俑

年　　齡：2000 多歲

血　　型：陶型

職　　業：陪葬品

出生日期：漢代

出 生 地：四川省成都市天回山

現居住地：中國國家博物館

中國國家博物館 20180005

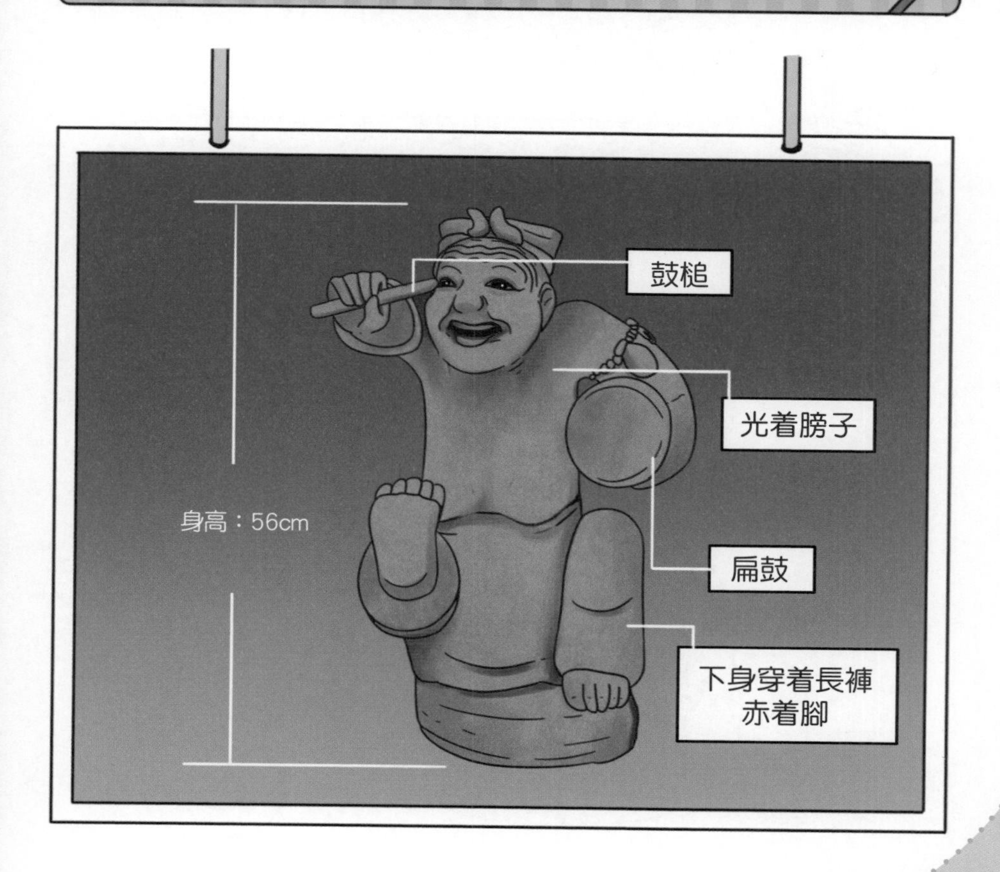

鼓槌
光着膀子
身高：56cm
扁鼓
下身穿着長褲
赤着腳

中國國家
博物館

11月23日　星期五　　晴 

你們聽說過大漢朝第一笑星嗎？據說他是個說唱演員，凡是聽過他說唱表演的人都會被他逗的~~得~~哈哈大笑。所以他有個藝名叫「笑哈哈」。像我這種笑點這麼高的人，他能搞得定嗎？

笑哈哈大爺，您怎麼這麼開心呀，笑得都合不攏嘴了？

做人嘛，最重要就是開心啦。我的工作就是逗人開心。笑一笑十年少，大家都要多笑笑！

孕婦
啊，可我才九歲，豈不是要笑回媽媽肚子裏去了！

笑是最好的抗衰老藥，笑一笑，能年輕十歲呢！

相聲
您說自己的工作是逗人開心，難道您是專門說笑話的相聲演員嗎？

有點類似，那會兒叫「俳（粵 排 普 pái）優」，專門給大家進行說唱表演。漢代很流行這種說唱表演，尤其是在當時的四川。

我檔期很滿的，常常被邀請到各地表演，還有很多粉絲呢！
你最棒！
我們愛你，笑哈哈！
笑哈哈
全球粉絲後援會

那您走的一定是實力派路線，
絕對不是偶像派路線……

哈哈哈，小娃娃，你嫌大爺長得不夠帥嗎？

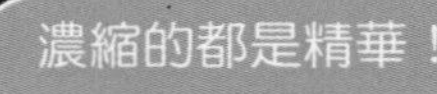
濃縮的都是精華！

濃縮
果汁
壓縮餅乾

俳優雖然都是五短身材，但個個機智聰明，能說能唱。

他們給大家的業餘生活帶去歡聲笑語，不但老百姓喜歡，連皇帝和大臣也都喜歡呢。

我叫樂悠悠。
我叫笑哈哈。
我叫喜嘻嘻。
我叫嘿嘿。

我們是**心裏美**組合！

笑哈哈大爺，您就是大家的開心果呀！

關我甚麼事……

為甚麼俳優在漢代會那麼流行呢？

哈哈哈哈哈哈

喲喲喲喲喲喲

傳令下去，讓大家都勒緊褲腰帶，好好過日子！

這就要先說說漢朝的皇帝了。漢朝一開始的時候，老百姓的日子過得可憐巴巴的。不過，漢朝初期的皇帝都不錯，減免老百姓的各種稅收，鼓勵大家好好種地。

皇上，您的腰又細了 2 寸。
漢文帝

到了漢文帝時，皇帝更主動**提倡節儉**，大手筆減免了全國的農田賦稅。

到了漢景帝時，又減了租稅，老百姓拍手稱讚，大家安安心心耕地種田把日子過好。

這就是歷史上非常著名的「文景之治」。

手中有糧，
心中不慌！

經過這麼一段時間的休養生息，老百姓也終於過上了有滋有味的幸福日子。糧倉裏堆滿了糧食，水塘裏養魚、種蓮，各種蔬菜水果應有盡有。

那漢朝人都吃甚麼蔬菜水果呢？

蔬菜常吃蔥、蒜、韭菜、大豆的嫩葉，
水果有李子、桃子、杏、棗子等。

瞧一瞧！看一看咯！
純天然有機蔬菜
超甜的水果

日子過得好了，手頭上寬裕了，

當然要豐富豐富精神生活了。

舞蹈
武術
說唱
雜技
魔術

漢代很流行百戲，百戲就是民間各種表演藝術的總稱，比如雜技、武術、魔術、民間舞蹈、各種說唱之類。上至王公貴族下至普通百姓，都很喜歡這些民間藝術。

沒想到漢代的娛樂活動這麼豐富！

娛樂圈不好混啊！

笑哈哈爺爺，您給說說百戲唄！

你知道「飛丸」嗎？丸就是小球，飛丸就是把好幾個小球拋到空中，用雙手輪流接。

喂，這東西我在2000年前就玩得溜溜的了。

獨門手藝，概不外傳。
無論時代如何變遷，你大爺還是你大爺！

有個叫「疊案倒立」的節目，就是把桌子一張張疊起來，人在最頂上表演倒立，技藝高超的演員可以疊到十幾張桌子呢！

下面的朋友，讓我聽到你們的歡呼聲！
上面的朋友，你還好嗎？

有些演員還會豎起高高的木竿，在百尺竿上上下翻飛，表演着各種驚險刺激的動作。

各位大俠真是功夫了得啊！

還有種叫「盤鼓舞」的舞蹈，將盤子和鼓排放在地上，舞者穿着飄逸的長袖舞衣，踩在上面輕盈地跳舞。

老百姓還非常喜歡武術一類的表演，

比如角抵和舉鼎。

角抵有點像現在的摔跤，
發展到後來就叫「相撲」了。

我遠渡重洋來到了日本！
歡迎！

舉鼎有點類似舉重，大力士把大鼎或者大水缸高高舉起來，厲害的還可以單手托舉呢。

還有噴火、吞劍和各種魔術！

太可怕了！
勤學苦練十八年，珍愛生命，遠離模仿。

漢代中外文化交流頻繁，外國雜技家也到中國表演和學習，比如大秦的藝術家。大秦就是古羅馬帝國。而這時，中國的雜技藝術也傳到了西方。

歡迎來我大漢朝發展
您的演藝事業！
三克油！

當然，俳優的說唱表演也是相當精彩嘍！他們會敲打小鼓給自己伴奏，說唱逗樂，各種段子包袱張口就來！

許多皇親貴族還將俳優養在家裏，以便隨時能聽到俳優的說唱逗樂表演。

今天就讓 3 號來表演！
1
2
3
4
5
6

小小博士

漢代人們的生活比起前朝有了很大的改善，食物也愈來愈豐富。他們的主要糧食是稻子、黃米、小米、麥子和大豆，吃不完的糧食就用來釀酒。

人們在水塘裏養起了魚，種植了蓮花。水塘裏還有螃蟹、田螺、青蛙，岸邊有成羣結隊的雞鴨。較高的物質生活水平也加速了人們對於味道的追求，人們開始製作各種調味料，比如豆豉、醋、醬、醢（粵 海 普 hǎi；肉醬），在烹飪食物時也會使用花椒、蔥、薑、蒜和桂皮等佐料。

人們一邊辛勤地揮灑汗水，一邊享用着自己豐碩的勞動成果，過上了美滋滋的幸福日子。

剛做好的肉醬，你嚐嚐。
鹹淡剛好！

哈哈劇場

之「講笑話」

鈴鈴鈴
同學們，下課啦！
我給你們講個笑話吧！
有一天啊……
噗！
哈哈哈哈
哈哈哈
哈哈哈哈
哈哈哈
我都還沒開始講……

文物日誌

星期 ____

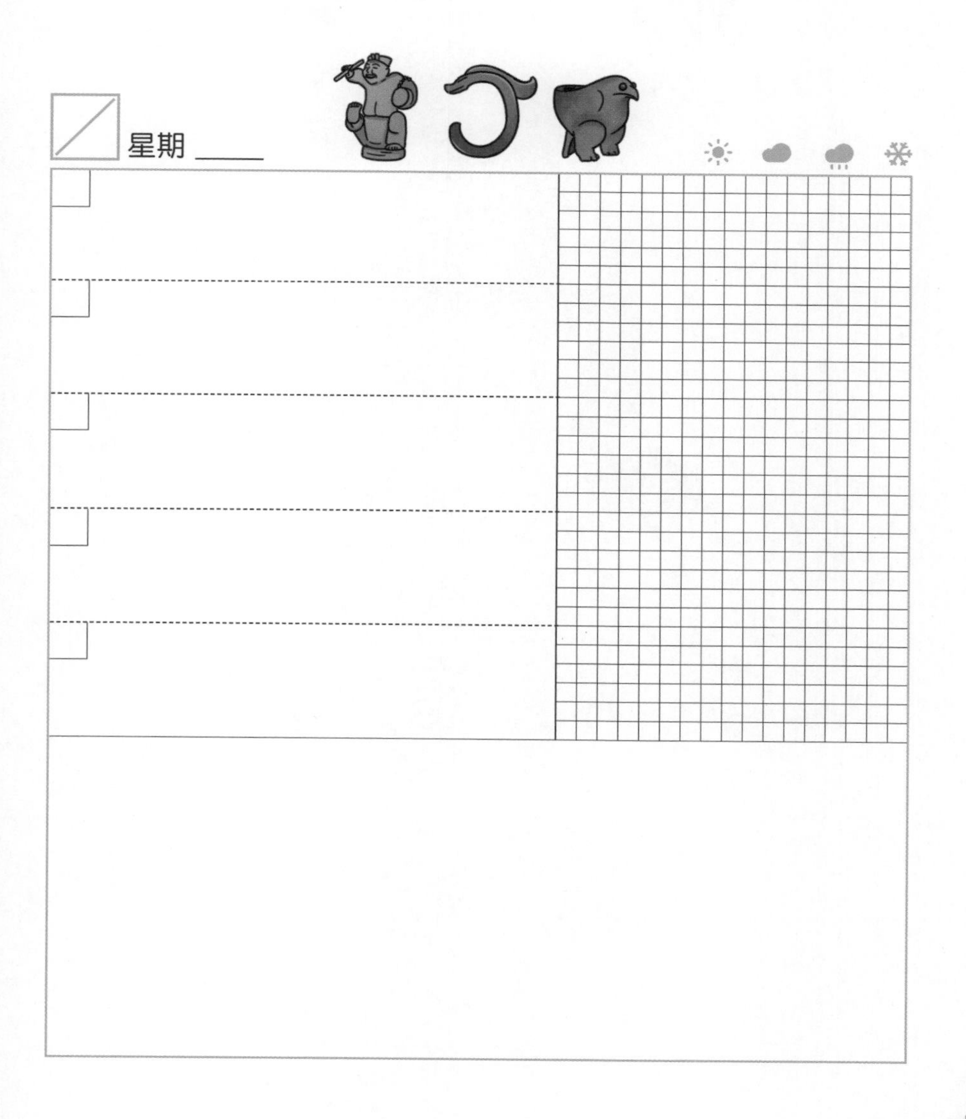

第六站

孝端皇后

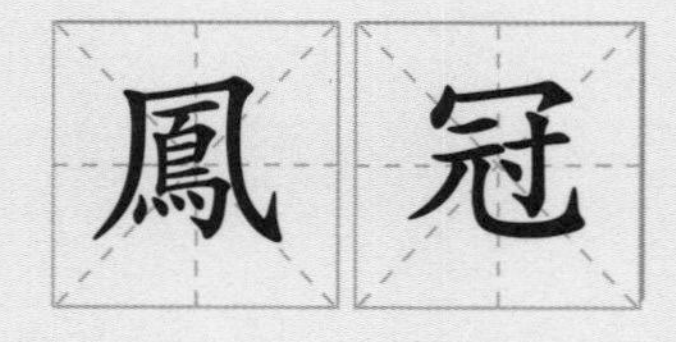
鳳冠

個人檔案

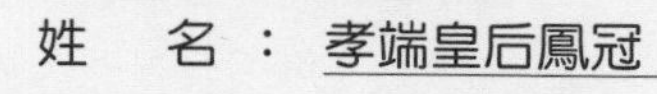

姓　名：孝端皇后鳳冠

年　齡：400 多歲

血　型：金銀珠寶、漆竹、絲帛與翠鳥羽毛混合型

職　業：頭飾

出生日期：明朝

出 生 地：北京明定陵

現居住地：中國國家博物館

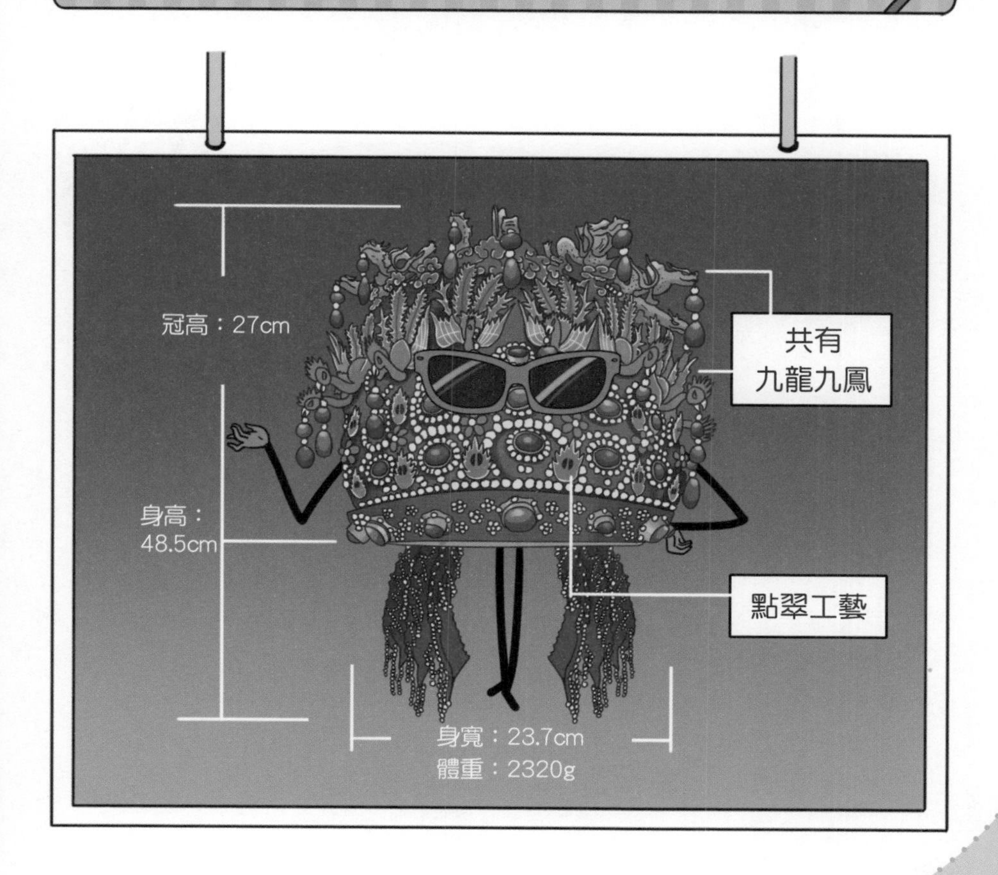
冠高：27cm
共有
九龍九鳳
身高：
48.5cm
點翠工藝
身寬：23.7cm
體重：2320g

中國國家
博物館

11月25日　星期日　　　　　　　　　　多雲

　　你們見過宮裏皇后娘娘帶的頭盔嗎？我可見到了九龍九鳳冠姐姐，這個姐姐渾身上下掛滿了紅寶石、藍寶石、翡翠、珍珠等好多寶貝，我的眼睛都要看花了呢。哎，怪不得後宮的娘娘們都要搶着做皇后呀。

鳳冠姐姐，我能戴一下嗎？
我也想過一把皇后癮！

準備好了嗎？我上來了啊。

躍躍欲試

也太……
太重了吧！
別低頭，
皇冠會掉！

算了，我還是不要當皇后了，當皇后得要有金剛鐵脖子才行。

數數九龍九鳳冠身上的紅寶石和珍珠，

應該就知道為甚麼會這麼重了吧！

1、2、3、4、5、6、7、8、9……

55、56、57、58、59……
Z
Z
z
96、97、
98、99、
100……

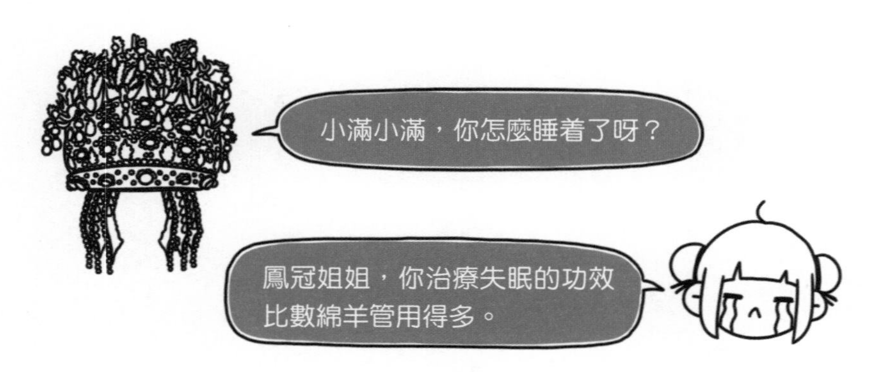
小滿小滿，你怎麼睡着了呀？
鳳冠姐姐，你治療失眠的功效比數綿羊管用得多。

九龍九鳳冠的身上有上百顆天然紅寶石，

還有5000 多顆珍珠呢！

天哪！這麼多！
貴重物品，請勿靠近！
—大明錦衣衛—
太耀眼了！我的眼睛都花了！

來來，仔細瞅瞅九龍九鳳冠身上的九條**金龍**和九隻**金鳳**。這可都是把金子拔成很細很細的絲，編織而成的。

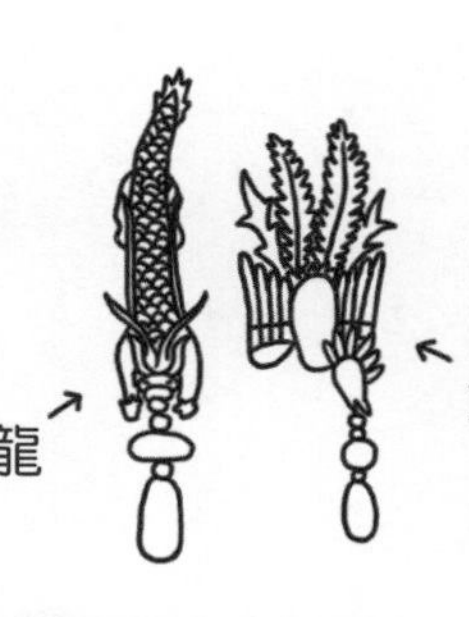
金龍
金鳳

拔絲金子？我只聽過拔絲香蕉、拔絲地瓜和拔絲蘋果。

哇，這鳳凰上的藍色顏料可真漂亮啊！

我都喜歡！我都要買！

這可不是用顏料染的，這叫**點翠**，這藍顏色是翠鳥的羽毛。點翠是一種傳統的金銀首飾製作工藝。翠鳥的羽毛光澤感好，色彩豔麗，再配上金邊，簡直絢麗奪目。那些有錢人為了得到有點翠工藝的首飾，常常一擲千金。

??
翠鳥的羽毛？？
長得好看怪我咯。

點翠工藝製作流程

❶ 工匠先將金片、銀片製作成一個底托。

金片或銀片

❷ 再用金絲沿着圖案花形的邊緣焊個槽，在中間部位塗上適量的膠水。

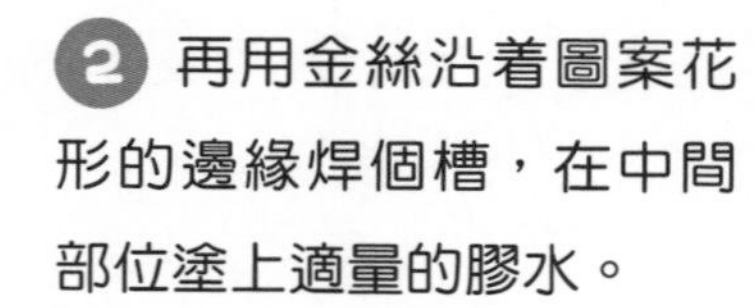
金絲

❸ 工匠取下翠鳥的羽毛，輕輕地用工具把羽毛巧妙地鑲嵌在底托上。

討厭，我同意讓你們用我的羽毛了嗎？
羽毛

❹ 再鑲嵌些珍珠、翡翠、紅珊瑚和瑪瑙等寶石。

❺ 完成！

為了好看就傷害動物，
你們的心不會痛嗎？
說得很對！

如今的匠人將點翠這門工藝傳承了下來，但是已經用鵝毛、絲帶等多種材質替代翠鳥羽毛來製作點翠首飾了。

別怕，我們來保護你！
我們終於不用被
剪羽毛啦！

對了，鳳冠姐姐，你的主人是哪位皇后啊？她長得很美吧？

讓我們紅塵作伴，活得長長久久！

我的主人是明朝萬曆皇帝的皇后孝端皇后，她是個美麗、慈愛、仁和的女子，萬曆皇帝也十分敬重她。要知道，她可是中國歷史上在位時間最久的皇后之一，她的丈夫萬曆皇帝也是明朝在位時間最長的皇帝。

萬曆皇帝登基的時候才 10 歲 呢！

哦，我的老天爺！四年級的皇帝！！

今天，我登基了！
10 歲的萬曆皇帝

今天，我四年級了！
10 歲的王大力

不過他有個很好的幫手叫張居正，這可是個絕頂聰明的人。張居正對待小皇帝很嚴格，時刻監督他好好學習，也不許他睡懶覺。

我的頭髮呢？
絕頂聰明

為了讓官員們更好地為國效力，張居正給官員們打分，根據分數進行賞罰。

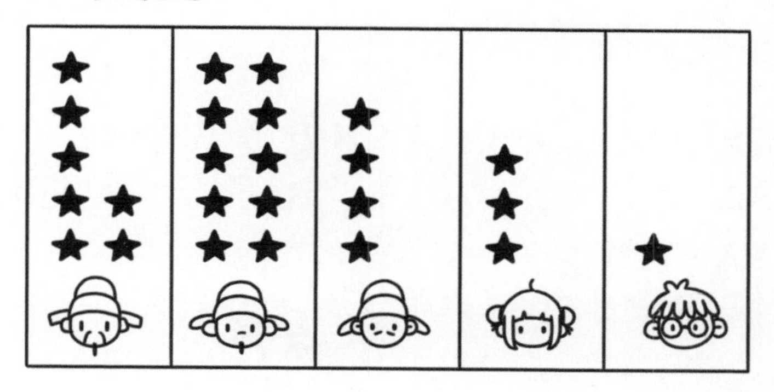

他還任命一些英勇忠誠的將領鎮守邊關，保衛邊塞的安寧。

好的，張大人！

黃河黃河，你要乖乖聽話哦。

此外，他還做了件利國利民的大好事，就是把黃河的水災給控制住了。

在他的主持下進行的一系列的改革，幫助明朝恢復了國力，人民生活水平也有所提高，整個國家呈現欣欣向榮的景象，

歷史上稱為「萬曆中興」。

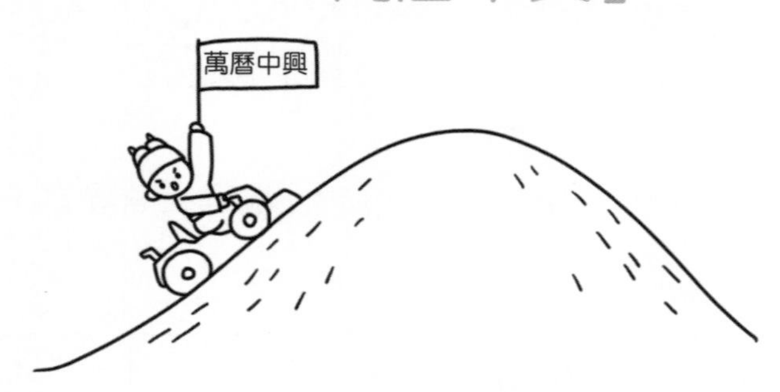
萬曆中興

等到萬曆皇帝二十歲的時候，張居正過世了。這下，他突然成了沒人管的野皇帝了，原來節儉、好學、勤奮的少年不見了，變成了一個浪費、懶惰、不思進取的人。明朝又回到了奢靡腐敗的老路上了。

放飛自我咯！

等我再來一局！
大明第一宅男

後來，這位萬曆皇帝為了立太子的事情跟大臣們鬧掰了，索性和大臣們賭氣，整整三十年不上朝，天天就宅在深宮裏喝酒玩樂，國家機器幾乎停止運轉。

皇帝雖然奇葩，但是這時的民間卻出了一位偉大的醫學家，他就是李時珍。那時候的讀書人都想考狀元當大官，但是李時珍一心想當一個為老百姓解除身體病痛的好醫生。

我不要做大官，
我要學醫救人！
哇，是天使！

他花了 27 年的時間，走遍大江南北，收集了上千種藥材和上萬種藥方，編寫出一部有 192 萬字的巨著——

《本草綱目》，該著作成為醫藥學的寶典，造福後世。

李時珍也被後人稱為「藥聖」。

雙聖合璧
哈囉！藥聖！
哈囉！醫聖！
張仲景
李時珍

中國國家
博物館

小小博士

這個愛罷工的萬曆皇帝，在位期間先後在西北、西南邊疆和朝鮮打了三場大仗：跟蒙古人打了寧夏之役；跟苗疆土司打了播州之役；跟日本打了朝鮮之役。三場戰爭雖然都取得了勝利，鞏固了明朝的邊疆，避免了朝鮮王朝受到日本人的侵略，但這三場戰爭也嚴重消耗了明朝的財力，加速了大明王朝一步步走向衰弱。

0:3
萬曆
勝！

哈哈劇場

之

「做好準備」

哇，好漂亮的帽子！我可以戴一戴嗎？
可以啊，不過你一定要做好準備哦。
我來啦！
跳！
來吧！
啊!!
欲戴「王冠」，必承其重……

文物日誌

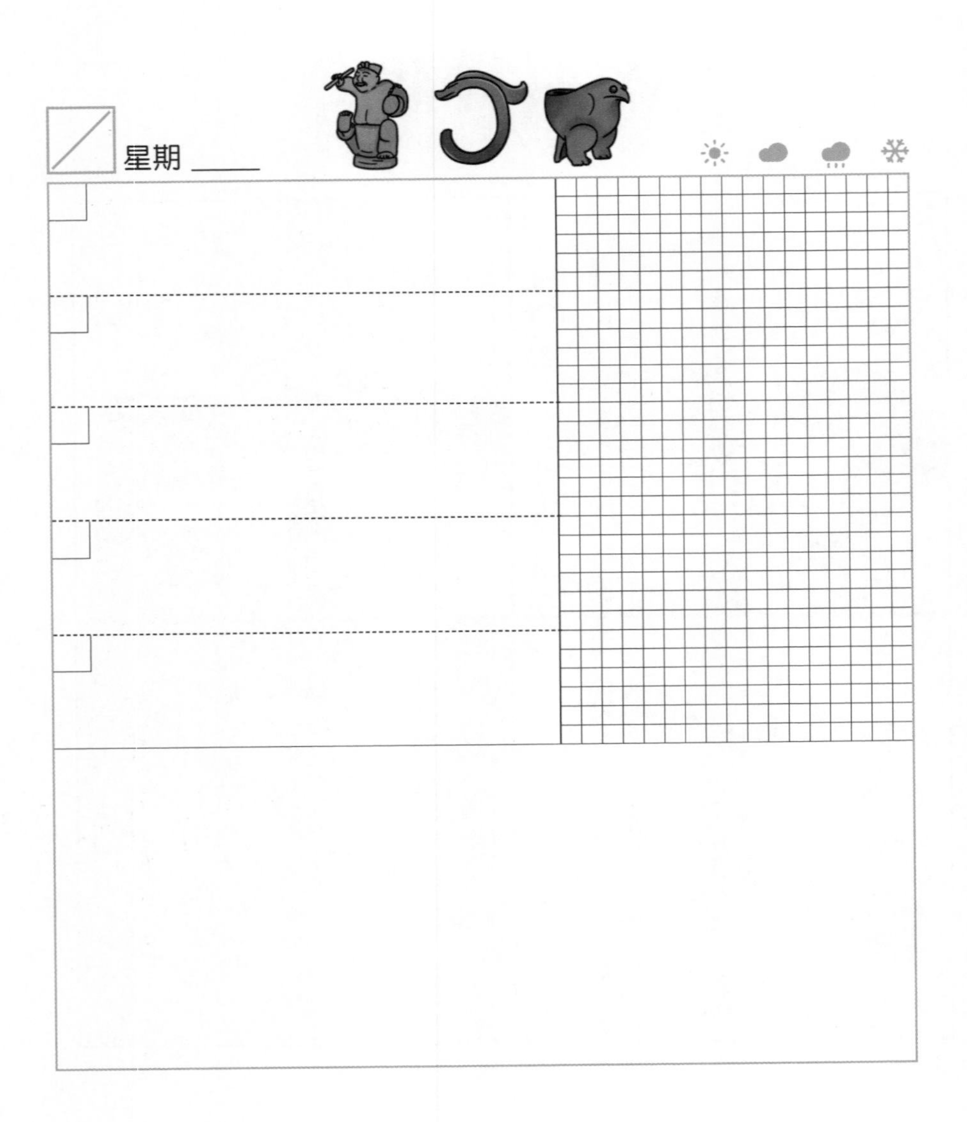
星期

第七站

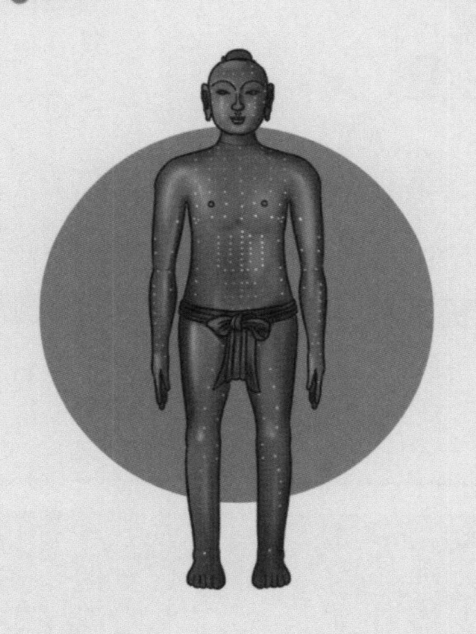

針灸銅人體模型

個人檔案

中國國家博物館
2018007

姓　　名：針灸銅人體模型

年　　齡：500 多歲

血　　型：銅型

職　　業：教具

出生日期：明朝

出 生 地：不詳

現居住地：中國國家博物館

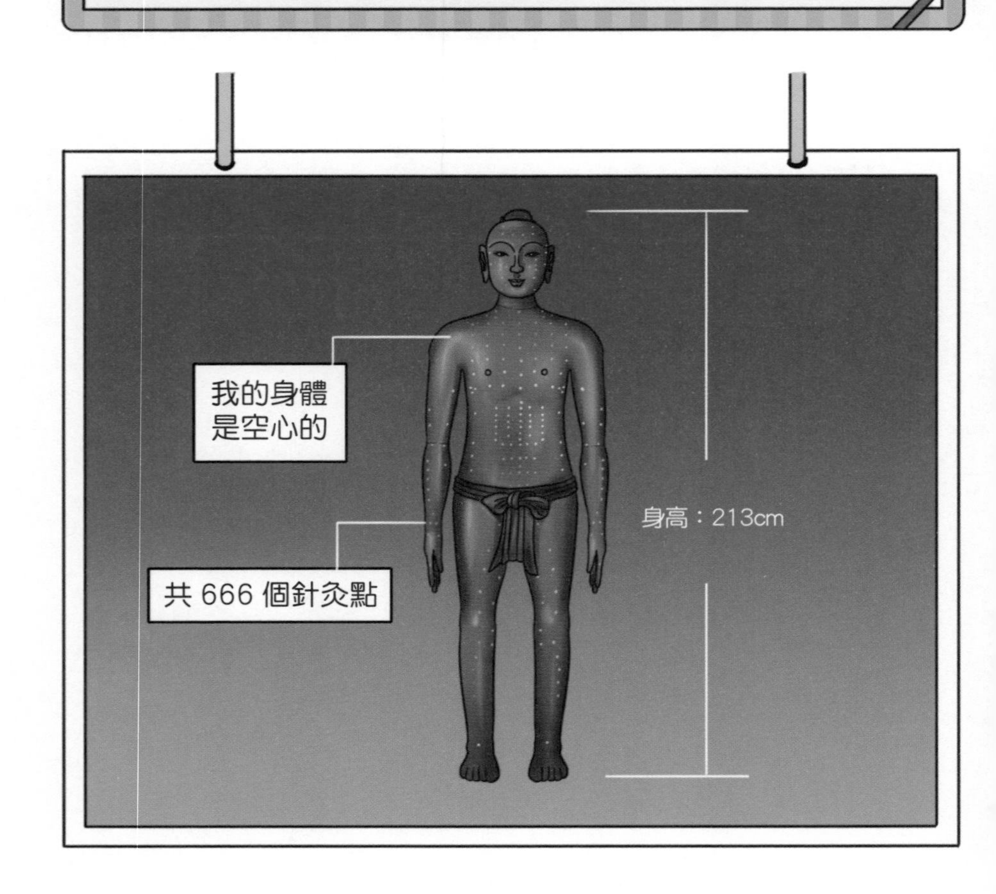
我的身體
是空心的
共 666 個針灸點
身高：213cm

1月12日 星期六 晴

我陪爺爺去中醫院做針灸（粵 救 普 jiǔ）。醫生把長長的針插到爺爺背上，我都忍不住要尖叫起來，可爺爺卻說舒服多啦，背沒那麼痛了，真是神奇得讓我直了眼睛。爺爺還說古人做過和真人一般大小的銅人，專門用來練習扎針呢！

目瞪口呆

我的媽呀，這裏有隻好大的刺蝟啊！
快點躲開，我要發射了！
哇呀呀，救命啊！
咻咻咻

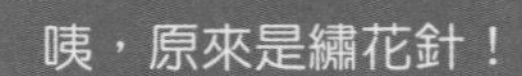
咦，原來是繡花針！

這是銀針，

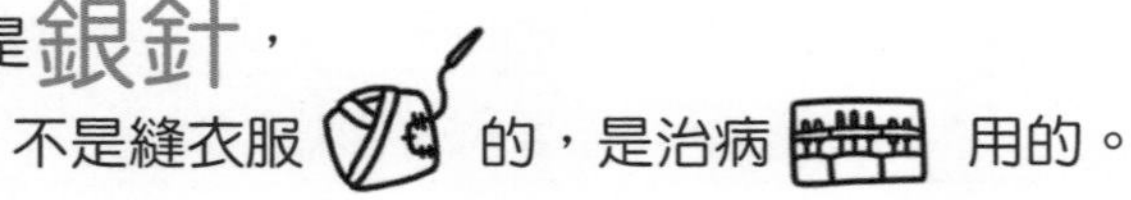
不是縫衣服 的，是治病 用的。

治病的針……你……莫非就是銅人大哥？

你找我嗎？

我是專程來找你的！爺爺說古時候人生病了，常常會用針灸來治療呢。

不只是古時候，現在中醫也會用針灸療法來治病。

針灸

是中國古代人民創造的

一種獨特的醫療方法。

假一罰十
祖傳秘方

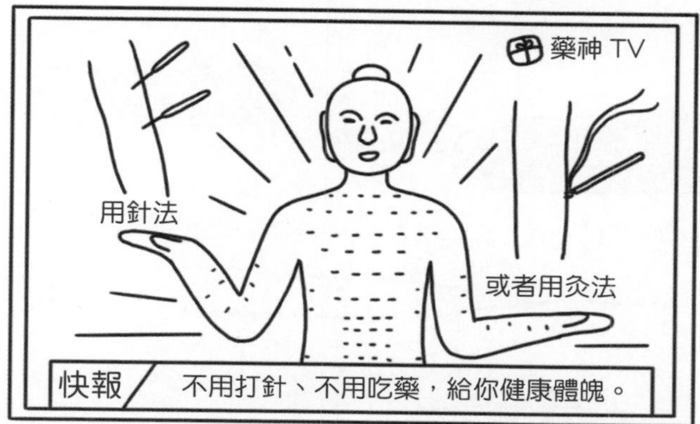
藥神 TV
用針法
或者用灸法
快報
不用打針、不用吃藥，給你健康體魄。

不打針？不吃藥？銅人大哥，大人不能騙小孩的！

不過扎針也可能會疼的呀，所以要好好研究人體的穴位，才能進行針灸，絕對不可以隨便亂扎。

大家好！我是《還珠格格》裏的扎針達人容嬤嬤！

還有我，喜歡玩針的東方不敗！

中國國家
博物館

那甚麼是穴位呢？

看到我身上這些小洞洞了嗎？這就是穴位。穴位是中國文化和中醫學特有的名詞，人身上有很多的穴位。

這個洞怎麼這麼大？
這是我的肚臍眼！！

要想成為針灸高手，治病救人，就要先熟記這些穴位。

密密麻麻密密麻麻
密密　　　　麻麻
密密　　　　麻麻
密密麻麻密密麻麻

針灸銅人就是**針灸教學**的人體模型啦。老師用他來教學生，也用來考學生。

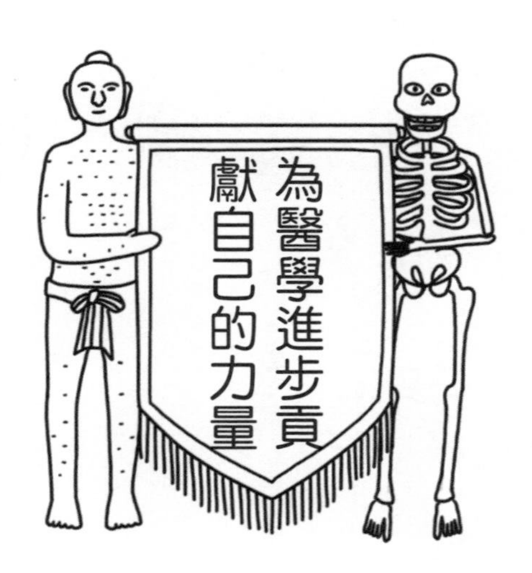
為醫學進步貢獻自己的力量

用銅人來考試？

考試的時候，先在銅人的表面塗上一層黃蠟；

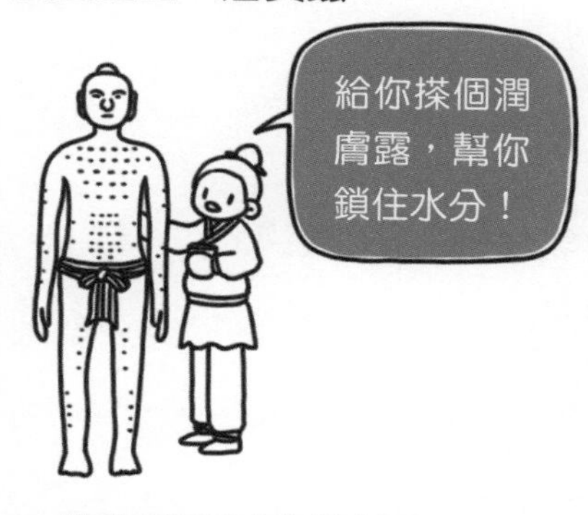
給你搽個潤膚露，幫你鎖住水分！

然後向銅人體內灌滿水；

咦？我腦子進水了？

學生就可以來施針了。

考試現場　禁止喧嘩

該我們大展身手了！

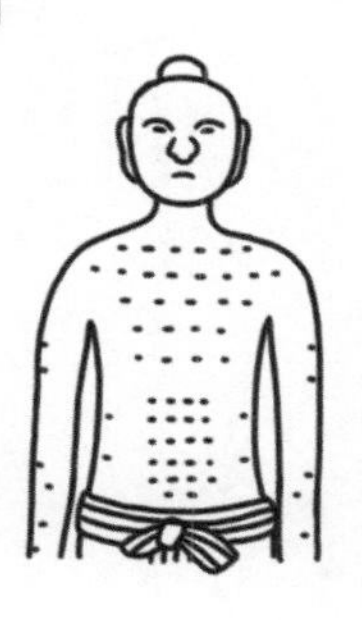

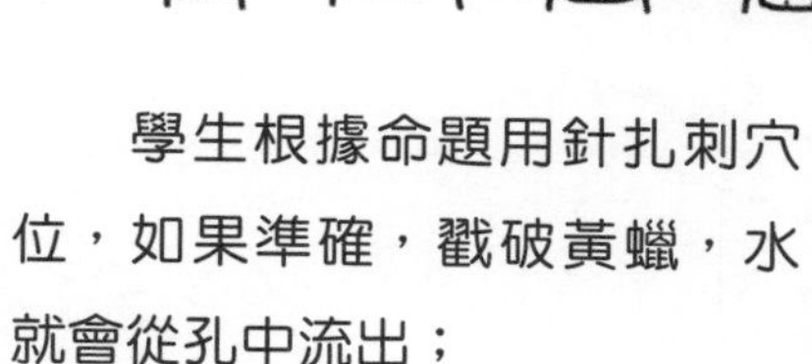

學生根據命題用針扎刺穴位，如果準確，戳破黃蠟，水就會從孔中流出；

如果戳錯了，就不會有水流出來。

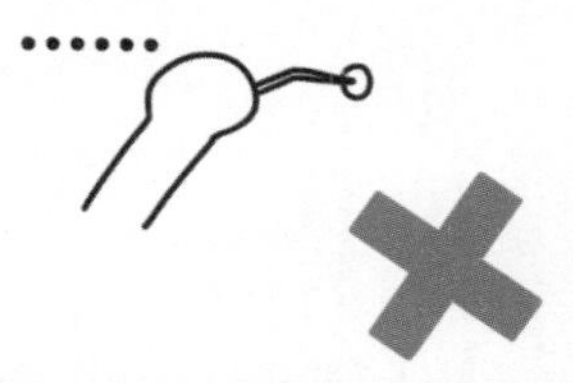
……

老師就根據這個方法來考察學生對穴位位置的掌握情況。

哇！是誰這麼聰明，想出這麼好的考試方式呀？

他是北宋一個叫王惟一的醫官。

區區在下

他最早設計並主持鑄造了兩件針灸教學用的銅人模具，銅人造得跟真人大小差不多，而且體內都是空的，表面有經脈穴位的走向、穴位的位置，還有穴位的鑽孔。

還要多久啊……

兩件模具造好之後，一件放在**醫官院**，一件放在**大相國寺**。

兄弟後會有期！
多多保重！

金滅北宋時，把醫官院的銅人搶了去。元滅金的時候，又把銅人運到大都（今北京市），後來各種打來打去，銅人輾轉之中也不知道去了哪裏。而現有的銅人是明朝時候模仿北宋的銅人重新鑄造的。

金滅北宋
感謝宋人造了這個針灸銅人，今天我終於得到它了！
感謝熱心的觀眾，感謝我的粉絲，感謝金人好好保存了針灸銅人，今天，它終於屬於我了！
元滅金
不好意思，銅人找不到了，我們又重新造了一個。
明
原來如此！

可是王惟一不是造了兩件銅人嗎？

你只說了醫官院的，大相國寺的那件呢？

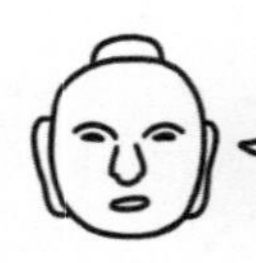

唉，說來可惜，大相國寺的銅人早就毀於戰火了。北宋末年可不太平，說起來也是可悲可嘆。

銅人大哥你快說啊，
我把耳朵都洗好了。
洗耳恭聽

北宋的藝術家皇帝宋徽宗特別喜歡兩個人，一個是宰相蔡京，還有一個是宦官童貫。可這兩個都是大壞人，就像是大米裏面的蛀蟲。他們貪贓枉法，弄得天下大亂，北宋的政治進入最黑暗、最腐朽的時期。

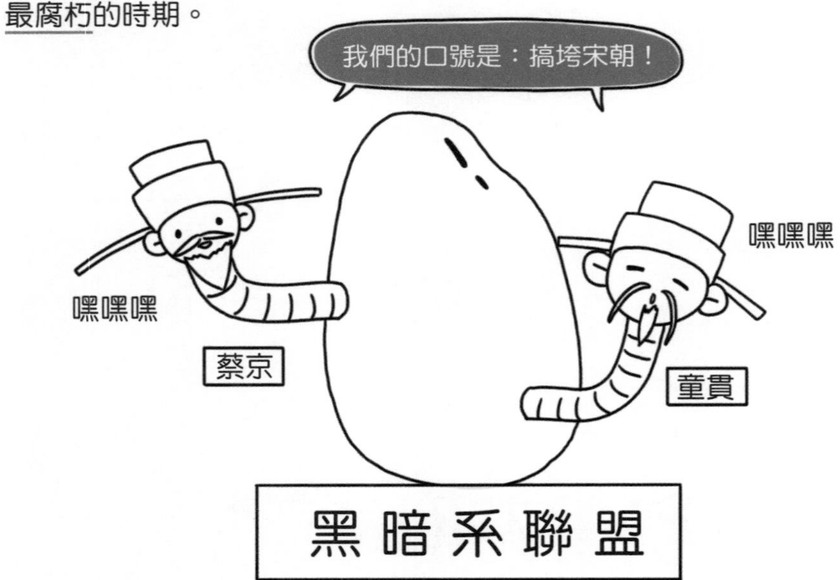
我們的口號是：搞垮宋朝！
嘿嘿嘿
蔡京
嘿嘿嘿
童貫
黑暗系聯盟

大河向東流啊，天上的星星參北斗啊！
梁山好漢合唱團

老百姓生活在水深火熱之中，有些農民乾脆跑到山裏當起了山大王。大家看過《水滸傳》嗎？裏面有 108 位水泊梁山的好漢，他們的故事就發生在那個動盪的年代。

後來金兵圍攻大宋的都城汴京，宋徽宗一聽金兵來了，嚇得瑟瑟發抖，竟然昏倒在他的龍牀上。

趕緊接着。
我可以不要嗎？
皇位

醒來之後，他不組織大家一起抵抗，反倒忙不迭地把皇位傳給了他的兒子，也就是宋欽宗，自己立馬帶了幾個大臣慌張地逃走了。

他的兒子宋欽宗是個軟柿子，也巴不得腳底抹油趕緊溜走。

宋徽宗呢？讓他接電話。
他出差了。
那宋欽宗呢？讓他接！
我也出差了。

好在有些忠誠的大臣拚死抵抗，金兵沒有得逞。金兵雖然同意停戰，卻提出了很多苛刻的條件。宋欽宗不管那麼多，對他來說只要不打仗就好，所以金子啊，綢緞啊，牛馬啊，土地啊，只要金兵開口，他就統統雙手奉上。

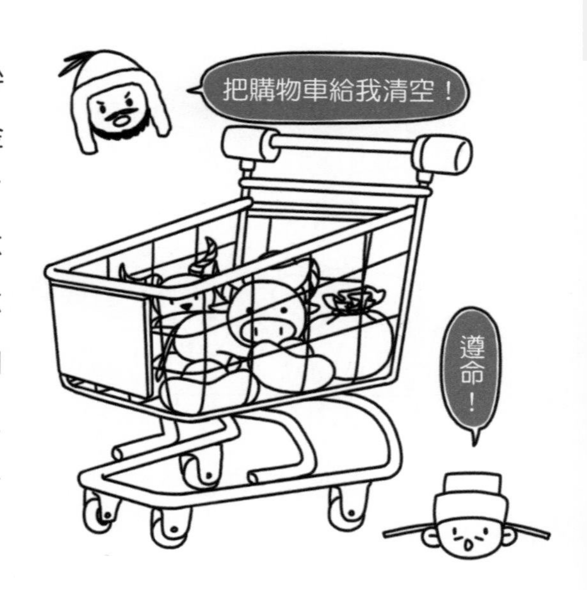
把購物車給我清空！
遵命！

金兵撤退了，宋徽宗又屁顛屁顛跑了回來，父子兩人開開心心地繼續過着享樂的日子。

早知今日，何必當初！

寶貝們，我們回來啦！

但是好日子沒過多久，金兵又來了。這次金兵終於攻破了汴京的城門，把繁華的汴京城洗劫一空，連宋徽宗和宋欽宗也一起被抓了去。高高在上的皇帝就這樣變成了階下囚，給金國的貴族端茶倒水，真是又可憐又可恨啊！

因為這件事發生在靖康年間，

所以歷史上也稱之為「靖康之恥」。

你看過《射雕英雄傳》嗎？裏面有個人叫郭靖，還有個叫楊康。

好厲害，好厲害！
楊康
這裏應該站黃蓉吧？
郭靖
導演

他們的父親就是希望他們記住「靖康之恥」，希望他們長大之後能精忠報國，恢復舊河山，所以給他們取了這樣的名字。

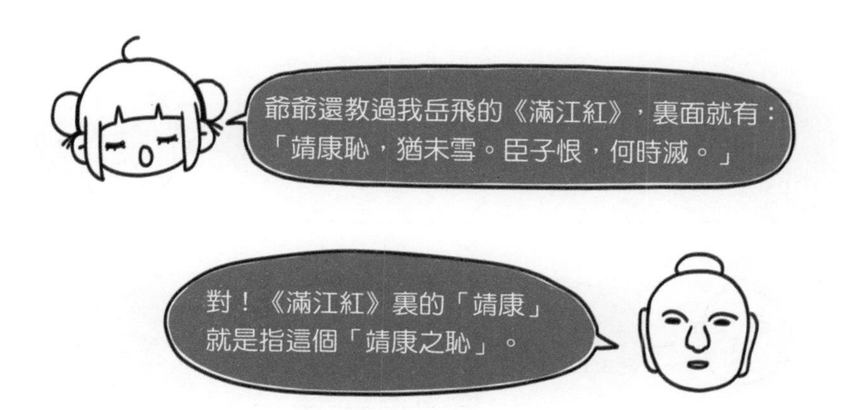
爺爺還教過我岳飛的《滿江紅》，裏面就有：「靖康恥，猶未雪。臣子恨，何時滅。」
對！《滿江紅》裏的「靖康」就是指這個「靖康之恥」。

心情不太好，
發條動態！
岳飛

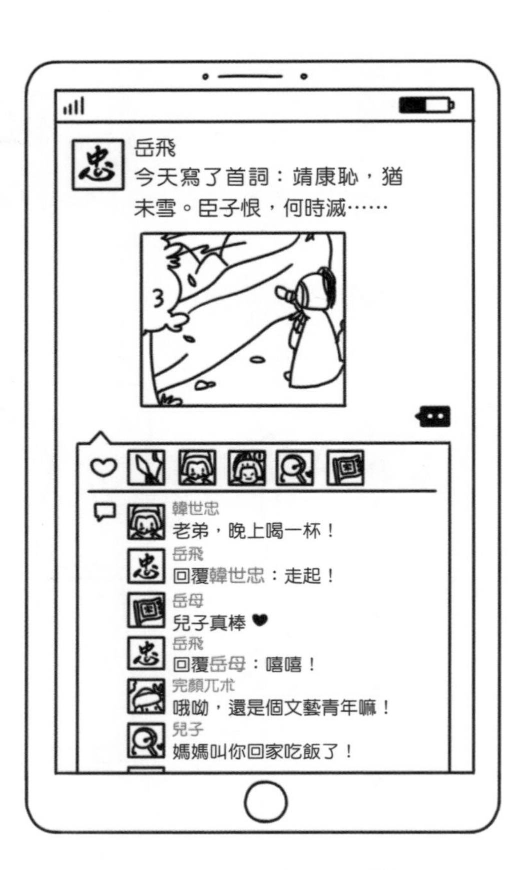
岳飛
今天寫了首詞：靖康恥，猶
未雪。臣子恨，何時滅……
韓世忠
老弟，晚上喝一杯！
岳飛
回覆韓世忠：走起！
岳母
兒子真棒
岳飛
回覆岳母：嘻嘻！
完顏兀朮
哦呦，還是個文藝青年嘛！
兒子
媽媽叫你回家吃飯了！

正是在金兵滅宋的那個時候，大相國寺的針灸銅人毀於戰火，只剩下了醫官院的那件針灸銅人，可惜最後也沒有保存下來。

雖然見不到宋代的銅人，但是還能見到明代銅人大哥你，我已經覺得很幸運了呢！

希望傳統醫術能發揚光大，幫到更多的人，那我也就心滿意足了啊。

小小博士

中醫是中國勞動人民創造的醫學，為人類的健康做出了巨大的貢獻。中醫早在原始社會就已經產生了，到了春秋戰國時期出了名醫**扁鵲**；東漢末年的著名醫學家**張仲景**寫出了傳世巨著《傷寒雜病論》，被後人尊稱為「醫聖」；名醫**華佗**則以精通外科手術和麻醉術名聞天下，他還自創了健身體操「五禽戲」。唐代**孫思邈**總結前人的理論和經驗，收集 5000 多個藥方，被後人尊為「藥王」。到了宋朝，政府設立了翰林醫學院，醫學分科愈來愈完備，並且將由於傳抄導致紊亂的針灸穴位進行了統一。

張仲景
華佗
中醫
F4
扁鵲
孫思邈

哈哈劇場之「噴泉」

今天沒有開呢，下次再看吧。
媽媽，我要看噴泉！
我不，我不！
我現在就要看！
前面那個小朋友哭得好傷心啊。
我有辦法！不過你得幫幫我。
耶！是噴泉。

文物日誌

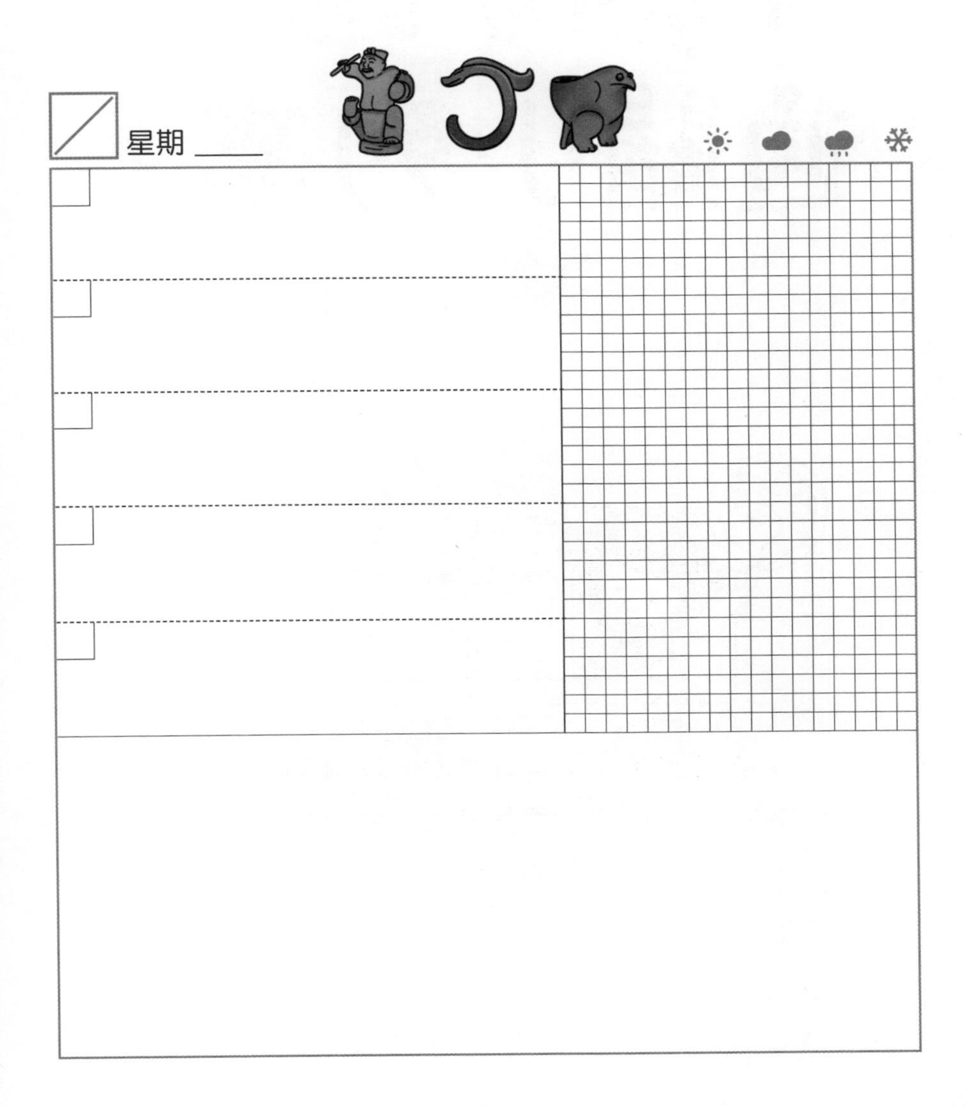
星期

博物館通關小列車

博物館小博士號列車歡迎你來挑戰！

選一選

老規矩，熱身運動做起來吧！

1 下圖中哪個是甲骨文裏的「龍」字呢？你還記得嗎？

○

○

○

○

搬個家，離漢人近點，到哪裏好呢？

2 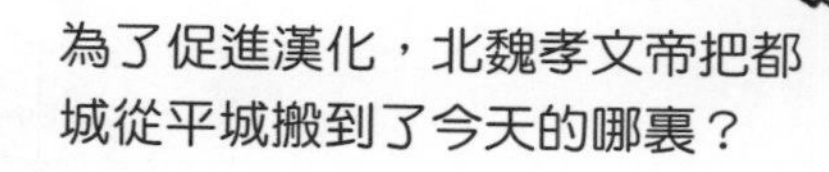
為了促進漢化，北魏孝文帝把都城從平城搬到了今天的哪裏？

○ 北京　　○ 西安

○ 南京　　○ 洛陽

3 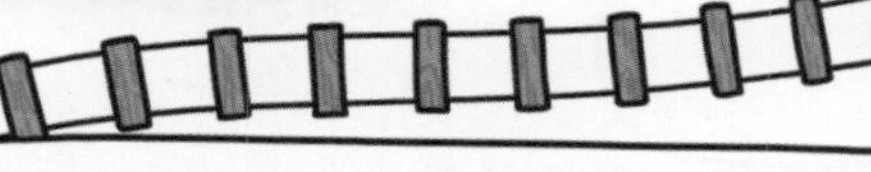
你知道我做的這個青銅盤是用來幹甚麼的嗎？

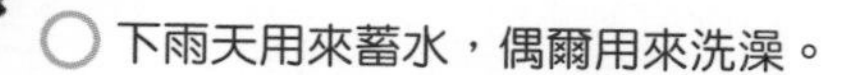
○ 下雨天用來蓄水，偶爾用來洗澡。

○ 裝滿水，梳妝打扮的時候當作鏡子用。

○ 燒飯燉肉煮粥，它是廚房的好幫手。

○ 打了場勝仗就做個盤記錄一下，是用來紀念的。

「虢季子白」青銅盤

猜猜我是誰？
我們趕上了好時代啊！

4 你知道是哪個皇帝為了博得美人一笑，在烽火台點燃烽火引諸侯前來救援嗎？

- 周平王
- 周厲王
- 周幽王
- 周宣王

5 漢初的皇帝為了恢復農業生產，都推行休養生息政策。老百姓安安心心種田，日子也愈過愈好，出現了繁榮的景象，歷史上稱之為 ________ ？

- 貞觀之治
- 文景之治
- 康乾盛世
- 開元盛世

6 母系氏族社會發展到父系氏族社會的主要原因是甚麼？

好好幹，別讓我失望！

- 男性的人數多於女性的人數，在數量上有了優勢。
- 男性比女性會打架，所以女性打不過他們，只好聽命於他們。
- 隨着生產力的進步，男性身體上的優勢發揮出來，他們的地位愈來愈重要了。
- 每次打獵捕魚，男性都能比女性更好更出色地完成任務。

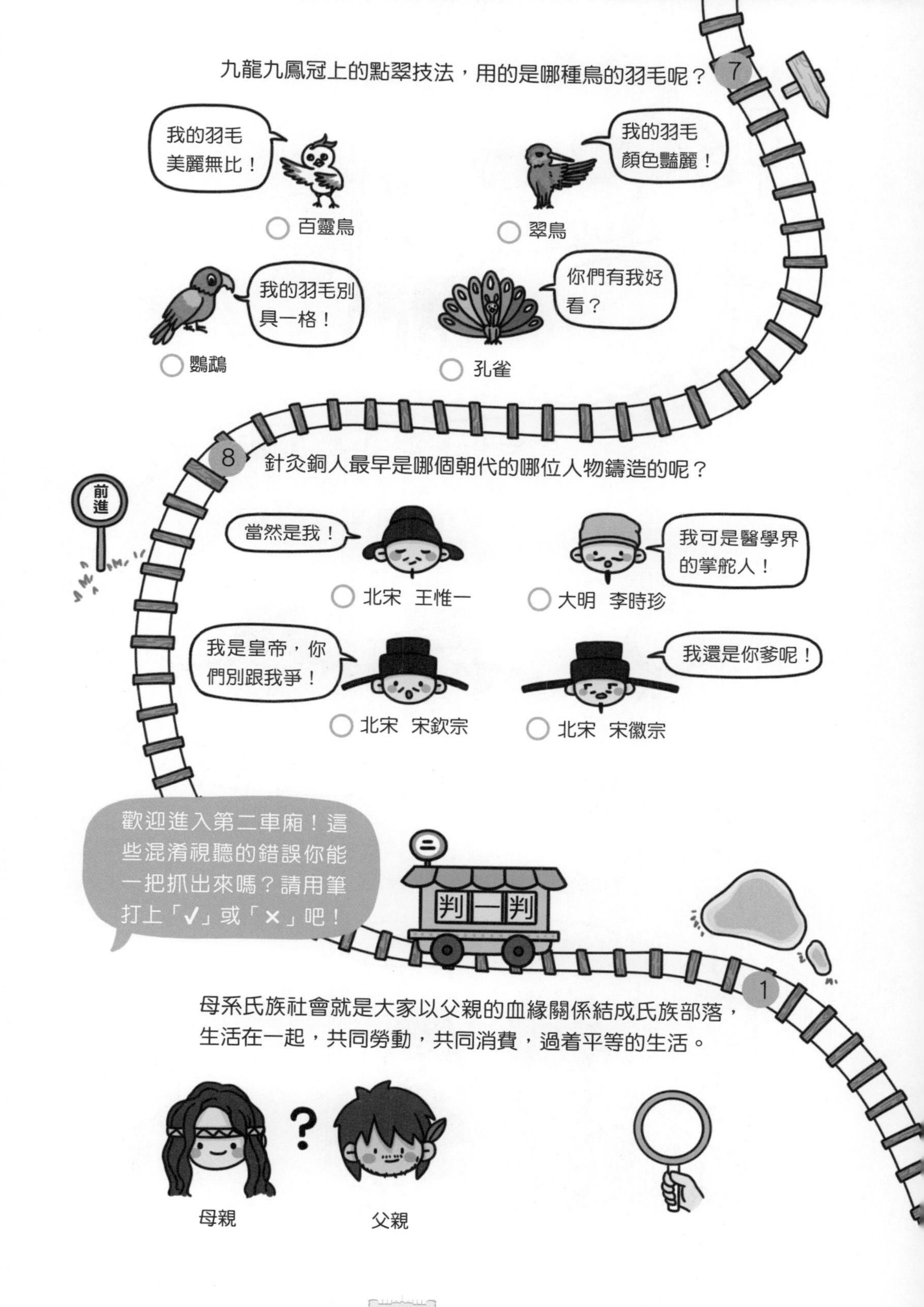
7
九龍九鳳冠上的點翠技法，用的是哪種鳥的羽毛呢？
我的羽毛美麗無比！
百靈鳥
我的羽毛顏色豔麗！
翠鳥
我的羽毛別具一格！
鸚鵡
你們有我好看？
孔雀
8
針灸銅人最早是哪個朝代的哪位人物鑄造的呢？
前進
當然是我！
北宋 王惟一
我可是醫學界的掌舵人！
大明 李時珍
我是皇帝，你們別跟我爭！
北宋 宋欽宗
我還是你爹呢！
北宋 宋徽宗
歡迎進入第二車廂！這些混淆視聽的錯誤你能一把抓出來嗎？請用筆打上「✓」或「✕」吧！
二
判一判
1
母系氏族社會就是大家以父親的血緣關係結成氏族部落，生活在一起，共同勞動，共同消費，過着平等的生活。
母親
父親

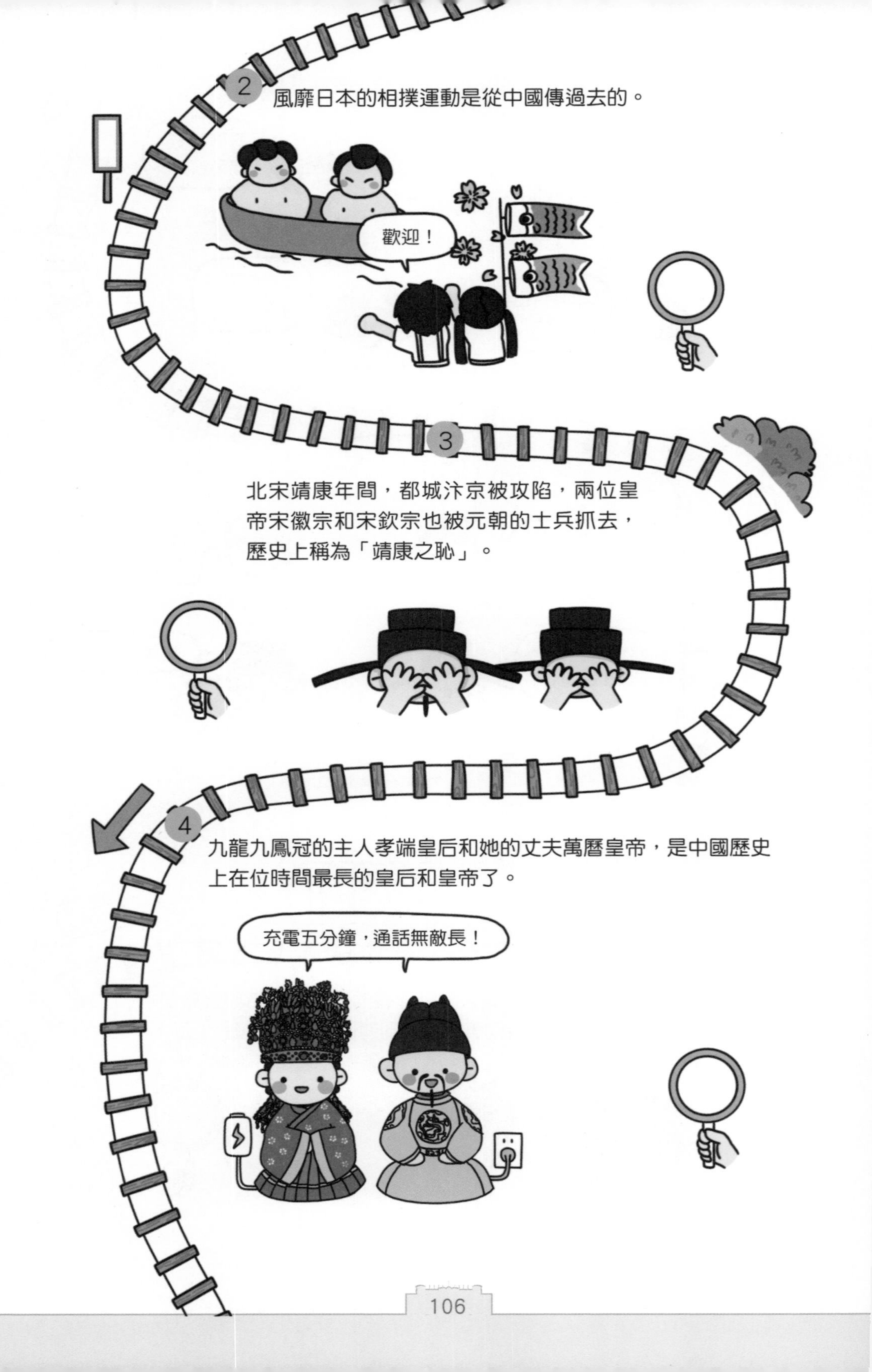
2
風靡日本的相撲運動是從中國傳過去的。
歡迎！
3
北宋靖康年間，都城汴京被攻陷，兩位皇帝宋徽宗和宋欽宗也被元朝的士兵抓去，歷史上稱為「靖康之恥」。
4
九龍九鳳冠的主人孝端皇后和她的丈夫萬曆皇帝，是中國歷史上在位時間最長的皇后和皇帝了。
充電五分鐘，通話無敵長！

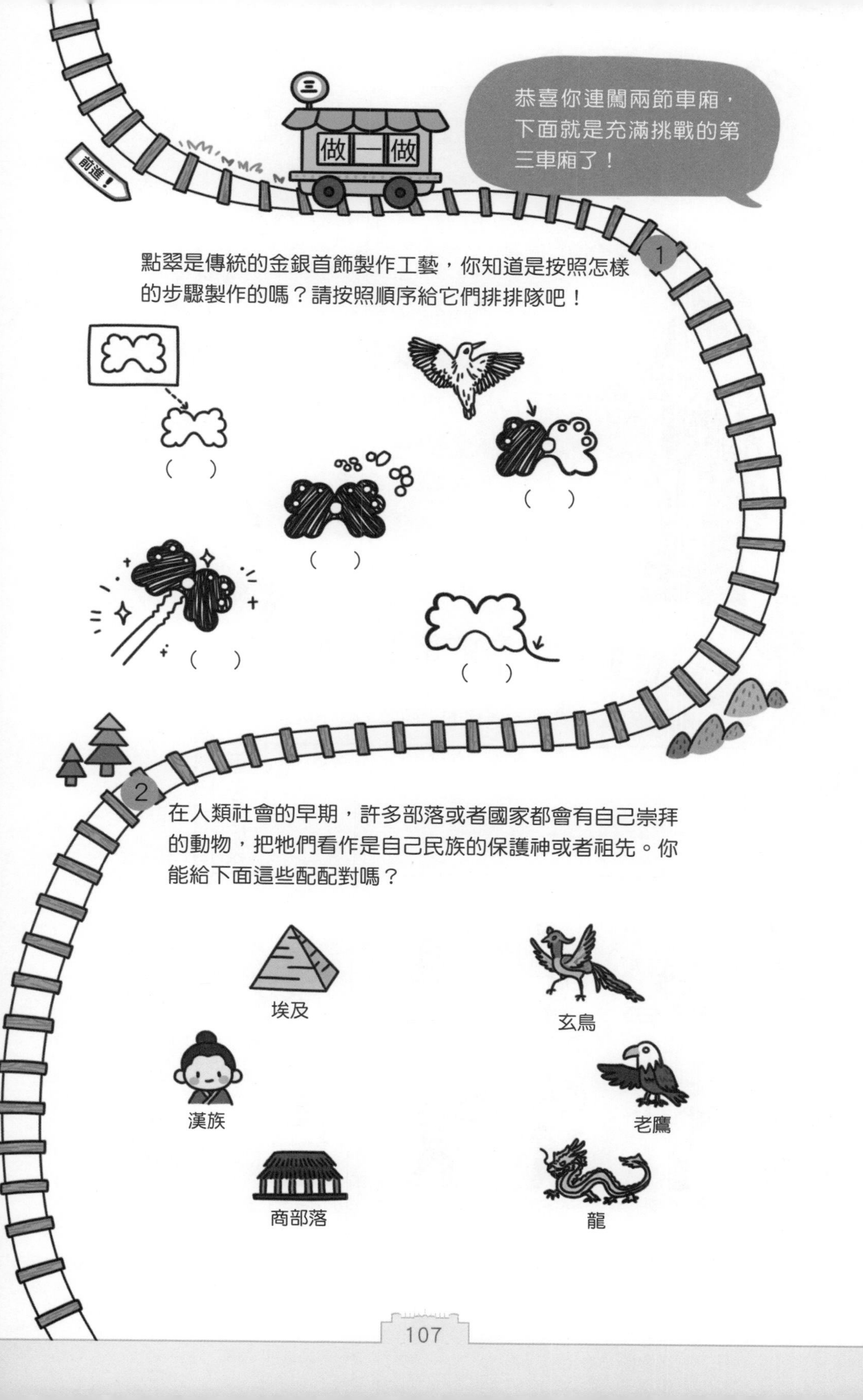
三
做一做
前進！
恭喜你連闖兩節車廂，
下面就是充滿挑戰的第
三車廂了！
1
點翠是傳統的金銀首飾製作工藝，你知道是按照怎樣的步驟製作的嗎？請按照順序給它們排排隊吧！
(　)
(　)
(　)
(　)
(　)
2
在人類社會的早期，許多部落或者國家都會有自己崇拜的動物，把牠們看作是自己民族的保護神或者祖先。你能給下面這些配配對嗎？
埃及
玄鳥
漢族
老鷹
商部落
龍

四
填一填

進入了高難度的第四車廂，相信你一定行！

1 哪些是北魏孝文帝推行的漢化政策呢？你還記得嗎？

①

①與漢人通婚
②學說漢語
③推行中醫
④搬遷都城
⑤到漢人學堂學習
⑥改穿漢服
⑦改漢姓

2 你知道下面哪些屬於漢代的「百戲」嗎？

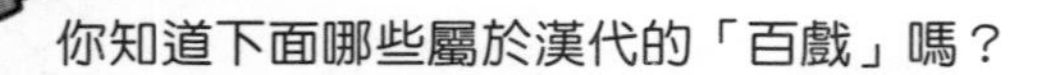

百戲演出表
①

①舉鼎

②盤鼓舞

③吞劍

④跳廣場舞

⑤說唱

⑥扭秧歌

⑦角抵

⑧吹喇叭

⑨飛丸

⑩噴火

⑪疊案倒立

⑫敲編鐘

最後一關了，擦亮你
的眼睛吧！
五
找一找

我們有五處不同呢，快來找出來吧！

1

2

五

畫一畫

「和我們一起拍張大合照吧！」

我是答案

我是答案

一 選一選

1.　　　　2. 洛陽

3. 打了場勝仗就做個盤記錄一下，是用來紀念的。

4. 周幽王　　　　5. 文景之治

6. 隨着生產力的進步，男性身體上的優勢發揮出來，他們的地位愈來愈重要了。

7. 翠鳥　　　　8. 北宋　王惟一

二 判一判

1. ✕　2. ✓　3. ✕　4. ✕

三 做一做

1. 1　3　4　5　2

2.

四 填一填

1. ①②④⑥⑦
2. ①②③⑤⑦⑨⑩⑪

五 找一找

1.

2.

親愛的小朋友，感謝你和博物館通關小列車一起經歷了一段美好的知識旅程。這些好玩又有趣的知識，你都掌握了嗎？快去考考爸爸媽媽和你身邊的朋友們吧！

- 答對 8 題以上：真棒，你是博物館小能手了！
- 答對 12 題以上：好厲害，「博物館小達人」的稱號送給你！
- 答對 15 題以上：太能幹了，不愧為博物館小專家！
- 全部答對：哇，你真是天才啊，中國考古界的明日之星！